i ty możesz mieć

i ty możesz mieć

SUPER dziecko

radzi
Dorota Zawadzka

GRUPA ITI

Copyright © by TVN, 2006

Wydanie I
Warszawa 2008

Autor tekstu: Dorota Zawadzka
Realizacja i opieka nad projektem
I Ty możesz mieć superdziecko – radzi Dorota Zawadzka ze strony TVN:
Małgorzata Łupina, Robert Myśliński, Ewa Marciniak

Redakcja: Katarzyna Leżeńska
Korekta: Anna Hegman, Alicja Chylińska

Projekt okładki i stron tytułowych: **mama**studio

Fotografie: © Marta Pruska
Rysunki dziecięce: Marianna, lat 6

TVN S.A.
02-952 Warszawa, ul. Wiertnicza 166
tel. (22) 856 60 60; fax (22) 856 66 66
www.tvn.pl

Wydawnictwo W.A.B.
02-502 Warszawa, ul. Łowicka 31
tel./fax (22) 646 01 74, 646 01 75, 646 05 10, 646 05 11
wab@wab.com.pl
www.wab.com.pl

Druk i oprawa: DRUK-INTRO S.A., Inowrocław

ISBN 978-83-7414-299-1

Rodzicom...

Spis treści

Nazywam się Dorota Zawadzka. Jestem pedagogiem i psychologiem rozwojowym. Wybrałam właśnie ten kierunek studiów, aby lepiej poznać złożoną psychikę dziecka. Przez wiele lat zdobywałam praktykę pedagogiczną, opiekując się dziećmi jako niania, sama jestem mamą dwóch synów. Dzięki doświadczeniom wychowawczym i pracy ze studentami oraz wrodzonej stanowczości i konsekwencji wypracowałam i nauczyłam się stosować szereg skutecznych metod i technik.

Bez większych problemów nawiązuję kontakt z dziećmi i ich rodzicami. Swoje poglądy staram się przedstawiać w jasny i zdecydowany sposób. W kontaktach z dziećmi sprawiającymi problemy wychowawcze szybko umiem dobrać i zastosować odpowiednie techniki pedagogiczne. Konsekwentnie stosuję swoje metody wychowawcze, dzięki czemu jestem skuteczna.

Przez dwanaście lat byłam wykładowcą na Wydziale Psychologii UW, a ostatnio również w Szkole Wyższej Psychologii Społecznej. Uczyłam studentów, jak pracować z rodziną i dziećmi. Nieustannie pogłębiam swoją wiedzę. Współpracuję z Komitetem Ochrony Praw Dziecka, gdzie od pięciu lat jestem w Kapitule nagrody „Świat Przyjazny Dziecku". Regularnie współpracuję z mediami.

Postanowiłam przekazać część swojej wiedzy, prowadząc w TVN program *Superniania*. Uważam, że jeśli niania może być doskonała i stać się supernianią, tak w każdym dziecku można odnaleźć superdziecko. Ta książka to moje rady dla wszystkich rodziców pragnących lepiej zrozumieć i wychować swoje dzieci.

Telewizyjny program *Superniania* został uznany za jeden z największych hitów w historii srebrnego ekranu. „New York Times", amerykańska edycja „Newsweeka", „The New Yorker" i inne poczytne czasopisma zamieściły wiele szczegółowych publikacji dotyczących *Superniani*. Wszystkie zgodnie polecały program jako „fascynujący" i „wart oglądania".

Jo Frost, genialna opiekunka, stała się światowej sławy gwiazdą, gdy po trzech edycjach nagranych w Wielkiej Brytanii *Supernianię* zrealizowano w Stanach Zjednoczonych. Program wyemitowano w 47 krajach świata, a na jego podstawie powstało wiele podobnych serii dotyczących wychowywania niesfornych dzieci. Teraz mamy okazję zaprezentować polską wersję tego niezwykłego projektu.

Bohaterami *Superniani* są rodziny, które mają kłopoty ze swoimi pociechami. W każdym odcinku poznajemy jedną rodzinę, która postanawia zaprosić do siebie Supernianię, czyli mnie, w nadziei, że dzięki mojej pomocy zdoła przywrócić swojemu domowi zachwianą równowagę. W ciągu kilku dni uważnej obserwacji staram się poznać problemy, z jakimi borykają się rodzice. Często są oni zbyt zapracowani i zmęczeni, by rozszyfrować przyczyny złego zachowania swojego dziecka, lecz zawsze pragną zapewnić mu wspaniałe dzieciństwo.

Po wnikliwej analizie opracowuję najlepszą metodę, dobraną do konkretnej rodziny, dzięki której sprawiający kłopoty mały domownik zacznie zachowywać się jak należy. Najważniejszą zasadą obowiązującą w trakcie programu jest przestrzeganie moich zaleceń, a dotyczy ona zarówno dzieci, jak i dorosłych.

Po zaprezentowaniu technik i metod, dzięki którym zachowanie małych rozrabiaków powinno zmienić się na lepsze, zostawiam rodziców, by sprawdzić, czy stosują się do moich zaleceń i czy odnoszą sukcesy. Mimo że nie ma mnie z rodziną, żadne odstępstwa od ustalonego przez nas planu nie umkną mojej uwadze. Po okresie próby wracam, chwalę postępy i w razie potrzeby wprowadzam niezbędne poprawki.

W każdym odcinku poznamy rodzinę borykającą się z innymi problemami, dzięki temu moja praca będzie bardziej pożyteczna.

Moim celem w programie *Superniania* jest zaprezentowanie prostych metod wychowawczych i podstawowych technik pedagogicznych. Również Wy będziecie mogli skorzystać z mojej propozycji, goszcząc mnie co tydzień w Waszym domu za pośrednictwem telewizji TVN.

Do książki, którą właśnie przekazuję w Wasze ręce, zaglądajcie zawsze, kiedy małe urwisy będą chciały wejść Wam na głowę!

Wstęp

Wychowanie dziecka jest najważniejszym i najwdzięczniej-szym zadaniem każdego rodzica. Trudności, z jakimi spoty-kamy się w procesie wychowania, są różne, w zależności od wieku dziecka, jego płci czy osobowości. Zależą też od tego, jakimi ludźmi jesteśmy my sami.

To nas, rodziców, dzieci biorą za wzór. Nie wiedzą one, co jest dobre, a co złe, dopóki im tego nie pokażemy i nie powiemy. Uczą się, obserwując nasze postępowanie.

Jest to szczególnie ważne, oznacza bowiem, że cokolwiek mówimy i robimy, będzie miało długotrwały wpływ na na-sze dzieci. Wiedząc o tym, nie zapominajmy, że jesteśmy tylko ludźmi; popełniamy błędy i nie zawsze panujemy nad sytuacją. Pamiętajmy też, że miłość i troska potrafią wiele zdziałać. Nigdy nie bagatelizujmy siły miłości.

Uważam, że najważniejsze w wychowaniu są: stałość, stanowczość i konsekwencja. Zawsze powtarzam, że jako rodzice pozwalamy na zbyt wiele, zamiast wprowadzać jasne zasady i normy. Stosując reguły i podejmując wła-ściwe decyzje, jesteśmy w stanie osiągnąć zaskakująco wiele!

Często nie potrafimy odczytać potrzeb własnych dzieci. One z kolei umieją wymyślać absurdalne i niewykonalne zachcianki wyłącznie po to, aby zaobserwować naszą re-akcję, przekonać się, na ile mogą sobie pozwolić i które z życzeń jesteśmy w stanie spełnić. Taka próba sił rozgrywa się nieomal w każdej rodzinie. W ten sposób nasz syn lub córka dowiadują się, co jest dozwolone, a co zabronione.

Czytelny zestaw zakazów i praw sprawia, że dziecko może się bezpiecznie poruszać w najbliższym otoczeniu. Jeśli wyznaczane przez nas granice są stałe – wyraźnie określone i konsekwentnie przestrzegane – zapewniamy naszemu dziecku poczucie bezpieczeństwa i uczymy świata, w którym to dorosły ustala reguły.

Jeśli jednak dziecko przejmuje kontrolę nad nami, zaburzamy jego obraz świata. Mały tyran odczuwa niepewność i lęk, jeśli bowiem udało mu się podporządkować sobie rodziców, kto będzie stał na straży jego bezpieczeństwa? Kto go obroni, gdy przyjdzie prawdziwe zagrożenie?

Dbajmy o to, aby w naszej rodzinie:

• Główną metodą wychowawczą była nagroda.
• Nikt nie stosował przemocy.
• Obowiązywały jasne zasady.
• Wszyscy wzajemnie okazywali sobie szacunek i miłość.
• Dzieci wykonywały prace codzienne i odpowiadały za swoje rzeczy.
• Dzieci nauczyły się odpowiedzialności za czyny i słowa.

Dzieci

Wiedza na temat etapów rozwoju dzieci jest wielce pomocna w radzeniu sobie z problemami dotyczącymi ich zachowań. Nasze postępowanie i metody trzeba odpowiednio dostosować. Pamiętajmy również, że nie ma dwojga takich samych dzieci, w związku z tym powinniśmy ostrożnie korzystać z różnorodnych wskazówek. Każde dziecko ma własny rytm, zazwyczaj stać je na więcej w jednych dziedzinach, a na mniej w innych.

Wszystkie dzieci są wyjątkowe, ale ich rozwój przebiega odmiennie. Nie istnieje „wzorzec" dziecka w danym wieku. Nie ma więc powodu do niepokoju, jeśli rozwój naszego syna lub córki nie stanowi dokładnego odwzorowania poradnikowego opisu. Technika zastosowana wobec dwulatka może znakomicie nadawać się dla czterolatka czy dziecka starszego. Bądźmy więc elastyczni i uważni.

Poświęćmy czas, aby zrozumieć nasze dzieci, i traktujmy je wyjątkowo. Nasza praca wychowawcza polega przecież na towarzyszeniu dziecku w zdobywaniu samodzielności i dorastaniu oraz jednoczesnym rozwijaniu w nim poczucia odpowiedzialności.

planeta wielu słońc

Dwulatek

Dwulatek jest zdolny do bardzo silnych emocji. Ma potrzebę niezależności, ale nie umie jeszcze unikać kłopotów.

Potrafi okazać uczucia: zadowolenie, czułość, a także zazdrość i gniew. Z radości i rozbawienia w jednej chwili może przejść do złości i krzyku. Oba te stany objawiają się bardzo gwałtownie i są trudne do przewidzenia. Na tym etapie stabilizuje się charakter i ujawnia temperament dziecka. Wyraźnie widać, czy jest śmiałe, wstydliwe, żywe czy spokojne.

Nasz malec odkrywa otoczenie na swój własny sposób. Poznaje świat wszystkimi zmysłami: dotyka, ogląda, smakuje, słucha, wącha. W tym czasie także intensywnie uczy się mówić, bardzo chętnie bawi się nowymi słowami, tworząc zaskakujące kombinacje sylab.

Uczy się już czystości, zaczyna sygnalizować swoje potrzeby fizjologiczne. Robi wiele, aby się podobać i postępować właściwie. Lubi przebywać w towarzystwie rówieśników.

Głupstwa popełnia nie z przekory, lecz z niewiedzy. Pamiętajmy jednak, że błędów nie popełnia tylko ten, kto nic nie robi. Dwulatek ma wiele energii, a jeszcze więcej wyobraźni. Uwielbia być samodzielny we wszystkim, co go dotyczy. Podejmuje pierwsze decyzje. Bywa czarujący i posłuszny, a chwilę potem uparty i zarozumiały. Nie potrafi jeszcze negocjować i cierpliwie czekać.

Dwuletnie dziecko wymaga przede wszystkim cierpliwości. Pomóżmy mu zrozumieć jego uczucia. Upewnijmy się, że rozumie, czego od niego oczekujemy. Starajmy się, aby nasze polecenia były dla niego zrozumiałe, ustalajmy wyraźne granice. To da dziecku poczucie bezpieczeństwa.

Oferując dwulatkowi wybór, unikniemy w dużej mierze sytuacji konfliktowych i pozwolimy mu wyjść z nich obronną ręką. Tym samym zapewnimy mu niezbędne w tym wieku poczucie niezależności.

Trzylatek

Niezależność – oto najważniejsza cecha trzylatka!

Trzylatek jest skupiony na sobie i buntuje się, gdy otoczenie nie podziela jego punktu widzenia. Zdecydowanie rzadziej tyranizuje domowników, zaczyna uczyć się cierpliwości. Nie stawia żądań, potrafi o coś poprosić.

Histeria dwulatka zamienia się u trzylatka w długotrwałe marudzenie – cichsze, lecz niekoniecznie łatwiejsze do zniesienia. Skutki działań są dla niego o wiele szybciej rozpoznawalne. Dziecko zaczyna rozumieć, że złe zachowanie może mieć przykre następstwa.

Trzylatek chętnie uczestniczy w życiu rodziny i potrafi dostosować się do ustalonego rytmu dnia. Nauczmy go więc pomagać w prostych pracach domowych i doceńmy ten wysiłek. Dziecko pragnie sprawiać nam przyjemność i być pomocne.

Trzyletnie dziecko z reguły potrafi się samodzielnie lub z niewielką pomocą rozebrać. Zaczyna się też chętniej samo ubierać. Jest również w stanie czerpać przyjemność z bycia samemu. Najbardziej lubi się bawić. Pojawia się pytanie: „Co to?"

Większość maluchów nie budzi się już w nocy i uwielbia się kąpać. Wiele dzieci ssie jeszcze palec lub smoczek. W tym wieku może pojawić się strach przed ciemnością i lęki wobec obcych osób.

Trzyletnie dziecko szybko zapamiętuje wszystko, co widzi i słyszy. Często potrafi recytować z pamięci duże fragmenty bajek czytanych na dobranoc. Bardzo ważne są dla niego „wieczorne rytuały".

Większość trzylatków jest przygotowana na pójście do przedszkola.

Czterolatek

Przed nami kolejny „trudny" rok, w którym musimy wykazać się opanowaniem i stanowczością. W tym niespokojnym wieku – jak dwa lata wcześniej – nasz malec bywa samowolny, nadpobudliwy, a czasem po prostu nieznośny.

W postępowaniu z czterolatkiem najważniejsza jest kontrola. Pozwólmy mu dostosować się do zmian. Powiedzmy mu zawczasu, co się zaraz zdarzy. Dziecko powinno mieć poczucie wpływu na decyzje, które go dotyczą. W przeciwnym wypadku zrodzi się w nim przekonanie, że nie ma żadnej kontroli nad swoim najbliższym otoczeniem.

Czterolatek potrafi się dłużej skoncentrować na wykonywanych czynnościach. Gdy wydaje się nam, że dziecięce histerie są już za nami, nasz czterolatek szlocha i łka, by zwrócić na siebie uwagę. Obrażanie się i użalanie nad sobą to jego zwykłe zachowania.

Często się śmieje, lecz jeszcze częściej płacze lub tylko udaje, gdy nie może postawić na swoim.

W tym wieku zaczyna rozwijać się wyobraźnia. Dziecko wymyśla niewiarygodnie barwne historie, których jest bohaterem. Jest też bardzo kreatywne i aktywne. Chętnie bawi się na powietrzu. Budzi się w nim chęć rywalizacji. Poczucie humoru jest przesadne i hałaśliwe. Lubi bawić się słowem, czasem niestety brzydkim. Wiele dzieci w tym wieku nie sypia już po południu. Większość przesypia całe noce.

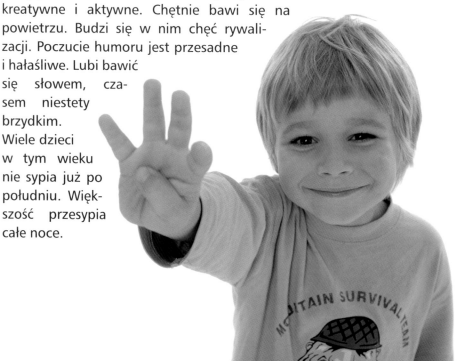

Pięciolatek

Pięciolatek zaczyna żyć w zgodzie ze światem. Jest miły i uczynny. Potrafi lepiej kontrolować swoje frustracje, chociaż nadal bardzo się złości, jeśli nie może zrobić czegoś po swojemu.

Płacze czy marudzi rzadziej i krócej, a sporadyczne napady złości skupiają się raczej na przedmiotach niż osobach. Gdy coś nabroi, najczęściej chce zwalić winę na kogoś innego.

Pięcioletnie dziecko zasypuje nas pytaniami: „Dlaczego?" Zaczyna uczyć się oddzielać fikcję od rzeczywistości. Coraz częściej rozumie skutki swych działań. Częściej pyta o pozwolenie i oczekuje poważnego traktowania.

Potrafi wykonać proste prace i przestrzegać niektórych reguł. Zna już na ogół zasady dobrego zachowania i grzeczności, choć jeszcze często o nich zapomina. Pięciolatek bardzo interesuje się otaczającym go światem. Potrafi zgodnie bawić się z rówieśnikami. Jest w stanie pogodzić się z przegraną.

Zaczyna interesować się telewizją i chętnie spędzałby dużo czasu przed ekranem.

Zerówka i młodszy wiek szkolny

Sześciolatek staje się coraz bardziej wytrwały w działaniu, cierpliwy i samodzielny. Rozwijają się nowe nawyki i umiejętności. Kształtuje się wola i świadomość. Utrwalają się i rozwijają zainteresowania. Pod koniec okresu przedszkolnego pojawia się również zdolność do samooceny. Dziecko jest w stanie logicznie rozumować i wykazać się wyższym stopniem samokontroli. Wie już coraz lepiej, co to przyczyna, a co skutek.

Po ukończeniu szóstego roku życia dziecko jest już na ogół gotowe do podjęcia nauki szkolnej. Wiele już rozumie z otaczającego go świata, a my możemy mu w tym pomagać, jak najwięcej mu tłumacząc. Rozmawiajmy z nim na każdy interesujący go temat.
Dziecku w wieku szkolnym łatwiej jest wyrażać swoje uczucia, myśli i potrzeby, zazwyczaj więc rzadziej popada w trudną do opanowania histerię.

Rozpoczęcie nauki w szkole oznacza nie tylko zmianę otoczenia, ale również powiększenie kręgu osób, z którymi nasze dziecko będzie spędzać czas. Rośnie tym samym liczba potencjalnych problemów, z którymi możemy się wówczas zetknąć. Z wolna przestajemy być jedynym wzorem do naśladowania. Z początkiem szkolnej edukacji tracimy też częściowo możliwość kontrolowania tego, co, jak i z kim dziecko robi.

Dziecko staje się członkiem grupy i musi odnaleźć w niej swoje miejsce. Jeśli wiemy, czym interesuje się nasza córka czy syn, zapiszmy je do klubu, ogniska młodzieżowego. Pamiętajmy jednak, że decyzję o zajęciach pozalekcyjnych powinniśmy podjąć wspólnie. Nie starajmy się realizować własnych ambicji i uszczęśliwiać dziecka na siłę.
Pamiętamy wszyscy z własnego dzieciństwa, jak jednym z naszych koronnych argumentów, aby uzyskać coś od rodziców, było zdanie: „Mamo/Tato, przecież już wszyscy w mojej klasie to mają..." Albo: „wszystkim rodzice pozwalają to robić".

To naturalna kolej rzeczy. Nasze zadanie to umiejętne wytłumaczenie, dlaczego córka czy syn nie mogą mieć w danej chwili wszystkich rzeczy, które posiadają koleżanki i koledzy. Dziecko zrozumie, jeśli spokojnie przedstawimy mu nasze argumenty i opowiemy, jak gospodarujemy domowymi funduszami, jakie zakupy są najpotrzebniejsze.

Starszemu dziecku dobrze jest wyznaczyć kieszonkowe, które może przeznaczać na swoje przyjemności. Znakomicie pomoże mu to w nauce samodzielnego zarządzania funduszami, nie wspominając o rozwinięciu umiejętności liczenia.
Starsze dziecko oczekuje też nieco więcej przywilejów. Możemy ich używać jako rodzaju nagrody, należy jednak zawsze pamiętać, aby nie zamieniło się to w przekupstwo

Można też zaproponować dziecku system nagród. W tym celu tworzymy tabelę, na której będziemy umieszczać ustalone symbole jako dowód, że dziecko zdobyło pochwałę. Po uzyskaniu odpowiedniej liczby symboli możemy je zamienić na przykład na wymarzoną zabawkę. Jest to coś w rodzaju „programu lojalnościowego" i z reguły świetnie się sprawdza.

Zachęcajmy dziecko do pozytywnych zachowań przez odpowiednie nagradzanie. Oferujmy wybór wszędzie tam, gdzie to możliwe. Zaproponujmy metodę opcji, w której dziecko może wybierać pomiędzy dwiema możliwościami. Pozwoli mu to na zachowanie poczucia niezależności. Jeśli oczekujemy od dziecka na przykład grzeczności czy dobrych manier, przypominajmy mu o tym.

Gdy prosimy nasze dziecko, aby coś zrobiło, nie wystarczy tylko suche polecenie. Zdecydowanie lepszy efekt można osiągnąć, tłumacząc, dlaczego dane polecenie powinno być wykonane.

Bywa, że nasza sprytna pociecha z premedytacją niewłaściwie wykonuje otrzymane od nas zadanie. Jeśli jest to złożona czynność, poćwiczmy ją z dzieckiem kilkakrotnie. Zrozumie wówczas, że nie uda mu się uniknąć jej wykonania.

Oczywiście po skończonej pracy należy się pochwała; dziecko musi wiedzieć, że doceniamy wysiłek włożony w spełnienie naszej prośby.

Może się też zdarzyć, że nasze dziecko będzie uporczywie unikało wykonania jakiejś konkretnej pracy. W takiej sytuacji powinniśmy dowiedzieć się, o co chodzi. Porozmawiajmy z dzieckiem, a być może poznamy powód, którego istnienia nawet nie podejrzewaliśmy.

Niestety, na tym etapie proste kary, które dotychczas tak dobrze spełniały swoje zadanie, powoli przestają być skuteczne. Stają się wręcz śmieszne i wydają się dziecku nie na miejscu.

Rozpoczęcie nauki szkolnej to bezpowrotny koniec naszego monopolu na nieomylność, mądrość i rację. Starajmy się więc umacniać nasz zdobyty wcześniej autorytet.

Bliźnięta

Dziecko jest największą radością i szczęściem. Wymaga oczywiście wiele pracy i zaangażowania. To wszystko staje się podwójnie naszym udziałem wraz z przyjściem na świat bliźniąt. Często wielu prostych i pomocnych rad udzielają nam znajomi czy rodzina, którzy wcześniej stali się rodzicami bliźniąt.

Przede wszystkim nie ma co się nastawiać, że wszystko i od razu uda się nam znakomicie. Praca nad wychowaniem bliźniaków to zdecydowanie zajęcie na dwa etaty, a cała reszta domowych prac przez jakiś czas powinna zejść na drugi plan.

Nasz porządek dnia musi być dopracowany w najdrobniejszych szczegółach, tak aby pozwalał na wygospodarowanie czasu na podstawowe zajęcia, a przede wszystkim dał naszym pociechom ciepło, radość i poczucie bezpieczeństwa.

W pierwszych miesiącach życia bliźnięta mogą spać w jednym łóżeczku. Gdy urosną i będą potrzebowały większej przestrzeni, będzie można je bez problemu rozdzielić. Powinny jednak pozostać w tym samym pokoju.

Nie damy rady jednocześnie zajmować się obojgiem, więc chcąc nie chcąc, jedno z dzieci trzeba „obsłużyć" jako pierwsze. Najczęściej najpierw zajmujemy się bardziej aktywnym bliźniakiem. Proponuję jednak jako pierwsze wybrać to, które jest spokojniejsze. Stracimy mniej czasu i szybciej uporamy się z połową pracy.

Zazwyczaj bliźnięta zaczynają przesypiać całe noce w tym samym wieku. Niestety, nie zawsze. Karmiąc je w nocy, pamiętajmy, aby karmić oboje, nawet jeśli tylko jedno domagało się jedzenia. Pozwoli to z pewnością zaoszczędzić sporo czasu, i co ważniejsze, zaoszczędzi nam nocnego wstawania.

Bliźnięta uwielbiają robić wszystko razem. Jeśli jedno czegoś chce, drugie od razu chce tego samego. Jeśli jedno wspina się na nasze ręce, jest pewne, że za chwilę drugie zrobi to samo. Z tego się nie wyrasta.

Bliźnięta potrafią stworzyć własny język, własny system znaków. Często najlepiej bawią się ze sobą, wyłączając z tej zabawy inne rodzeństwo i rodziców.

Każde z bliźniąt z wiekiem będzie rozwijało się nieco inaczej oraz wykształcało swoją indywidualność. Starajmy się nie ubierać bliźniąt jednakowo. Traktujmy je jak odrębne istoty.

Każdemu z bliźniąt należy poświęcić osobny czas. To ważne, aby mogły przekazać nam swoje uczucia w indywidualnym kontakcie. To, że jedno głośniej krzyczy, nie musi oznaczać, że bardziej nas potrzebuje. Starajmy się dzielić nasz czas równo.

Jeśli jedno z dzieci źle się zachowuje, zamiast natychmiast je karać, spróbujmy pochwalić to grzeczne. Brak naszej reakcji i poczucie, że nie jesteśmy zainteresowani tym, co zrobiło, jest dla dziecka wystarczającą karą.

Ważne jest, aby rodzeństwo nauczyło się czerpać przyjemność ze wspólnej zabawy. W tym celu należy zaproponować takie, których zasady nie opierają się na rywalizacji, lecz na współpracy.

W opiece nad bliźniakami pomocni są też dziadkowie. Jedno z dzieci może spędzić z nimi godzinę lub dwie na spacerze. W tym czasie drugie może pobawić się z nami.

Nie starajmy się załatwić wszystkiego naraz. Skupmy się na rzeczach, które uznamy za najważniejsze.

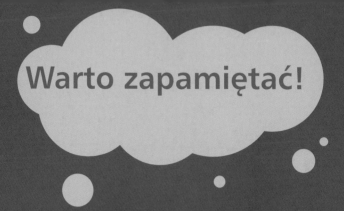

Warto zapamiętać!

Każde dziecko jest inne.
Nie trzymajmy się kurczowo
rad ekspertów.

Dziecko poniżej trzech lat nie
wie jeszcze, co to przyczyna
i skutek.

Dostosujmy zasady do wieku
naszych dzieci.

Trzylatkowi pomaga
odwrócenie uwagi, można
go też na chwilę pozostawić
samemu sobie.

Dajmy dwulatkowi możliwość
wyboru, unikniemy napadów
złości.

Czterolatek potrafi się lepiej
skoncentrować i ma większą
wyobraźnię.

Pięciolatek jest zdolny
do brania pod uwagę uczuć
innych osób.

Pozwólmy bliźniakom spać
razem, dopóki jest to dla nich
wygodne i bezpieczne.

Sześciolatek zaczyna
się kontrolować, ale
bardzo ważne są słowne
przypomnienia.

Identyczne z pozoru bliźnięta
różnią się od siebie.
Nie starajmy się za wszelką
cenę upodobnić ich do siebie.

Rodzice

Trudno jest snuć rozważania na tematy rodzinne, pomijając nas samych, rodziców. Dla dzieci jesteśmy wzorami do naśladowania, dlatego w istotnym stopniu wpływamy na ich zachowanie. Uczą się one od nas nie tylko sposobu mówienia, języka, ale również nawyków, zwyczajów i stylu myślenia.

To, jak my się zachowujemy w sytuacjach codziennych, często wpływa na to, jak one postępują w ciągu całego życia. Pamiętajmy o tym i dbajmy, aby zawsze stanowić dla dzieci pozytywny wzorzec!

Nie przerzucajmy na dzieci swoich frustracji, obaw czy problemów, bo nie można stać się odpowiedzialnym dorosłym, jeśli nie miało się prawdziwego dzieciństwa. Tylko wtedy, gdy dorastające dziecko wychowuje się w bezpiecznym świecie, jego osobowość nabiera pełnego kształtu.

Uważam, że największym darem, jaki możemy dać naszym dzieciom, jest nasz czas. Wielu z nas absorbuje praca zawodowa, a różne prywatne sprawy czy zajęcia uważamy za ważniejsze niż dzieci. Dajemy im więc rzeczy, ale nie poświęcamy wystarczająco wiele uwagi. Nie róbmy sobie i dzieciom złudzeń, że posiadanie dóbr materialnych przyniesie im szczęście, a nasza rola sprowadza się tylko do tego, aby na to wszystko zarobić.

Starajmy się w miarę możliwości być razem. Najważniejszym źródłem siły, odporności, zdolności do kochania na resztę życia jest czas i uwaga poświęcona naszym dzieciom każdego dnia.

Niektórzy z nas decydują się przyjąć model wychowania nazywany potocznie bezstresowym. Uważamy, że polega on, z grubsza rzecz biorąc, na bezwarunkowym zaspokajaniu potrzeb dziecka, niestawianiu mu żadnych barier, pozwoleniu mu niemal na wszystko. Pamiętajmy jednak, że taki model wychowawczy wywołuje w dziecku niepewność co do zasad panujących w domu. W takim przypadku jest ono niejako skazane na bezustanne testowanie cierpliwości rodziców, bo tylko tak będzie w stanie dowiedzieć się, na ile może sobie pozwolić.

rodzina wchodzi na górę

Typy rodzicielskie

W wychowaniu dzieci popełniamy rozmaite błędy wychowawcze. Najczęstsze to: niekonsekwencja w postępowaniu z dzieckiem, spełnianie jego wszystkich życzeń i zachcianek, akceptowanie negatywnych zachowań.

Często brakuje nam systematyczności, wykazujemy nadmierną pobłażliwość i rozpieszczamy dziecko. Zdarza się, że sami zachowujemy się niedojrzale, niecierpliwie lub arogancko.

Nie mamy czasu na rozmowy, nie reagujemy, widząc, że dziecko czerpie negatywne wzory z rodziny, grup rówieśniczych czy mediów. Błędnie nagradzamy i karzemy. Stosujemy przemoc poprzez atak słowny lub fizyczny, który zagraża dziecku lub je poniża.

Powinniśmy zastanowić się nad popełnianymi błędami i stopniowo je eliminować, bo jesteśmy pierwszymi i najważniejszymi wychowawcami własnych dzieci. Rodzice, którzy są zdolni przyznać się do błędów wychowawczych, napotykają mniej trudności w wychowaniu niż rodzice, którzy tych błędów u siebie nie dostrzegają.

Należy jednak pamiętać, że tak jak nie ma dwojga takich samych dzieci, tak również rodzice bywają różni. Próby zachowywania się w sposób obcy naszej naturze nie przyniosą niczego dobrego. Skończy się prawdopodobnie na rosnącej w nas i w naszych dzieciach frustracji.

Istnieją cztery główne style wychowawcze: autokratyczny, obojętny, permisywny i autorytarny.

AUTOKRATYCZNY

Rodzice prezentujący ten model są bardzo wymagający. Sprawują silną kontrolę. Nadużywają gróźb i kar. Wymagają w sposób nieznoszący sprzeciwu, często nie pozwalając dziecku na podjęcie samodzielnej decyzji.

OBOJĘTNY

Tacy rodzice stawiają nieliczne ograniczenia. Dają swym dzieciom niewiele uwagi, wsparcia i zainteresowania. Zwykle od wczesnego wieku pozostawiają im bardzo dużą swobodę. W skrajnych przypadkach tacy rodzice mogą być wręcz uważani za odpychających.

PERMISYWNY

Tacy rodzice są wrażliwi na potrzeby dziecka, stawiają jednak mało ograniczeń. Przyzwalają na dużą rozpiętość zachowań i mają dość luźne podejście do dyscypliny. Dają dużo akceptacji i zachęty. Niestety, są mało uporządkowani i słabo przewidywalni.

AUTORYTARNY

Ci rodzice są opiekuńczy i wrażliwi na potrzeby dziecka. Stawiają jednak wyraźne ograniczenia i tworzą przewidywalne środowisko. Preferują raczej pozytywne wspieranie niż stosowanie kar. Stosują jasne reguły wytyczane w sposób asertywny.

Powyższe rozróżnienie stanowiło podstawę wielu badań, których celem było określenie, jaki wpływ na nasze dzieci ma przyjęty przez nas styl wychowawczy. Wprawdzie jest praktycznie niemożliwe, aby określić, co dokładnie powoduje konkretne zachowania naszych dzieci, to jednak wiadomo, że:

- Dzieci autokratycznych rodziców są z reguły niezadowolone z siebie i życia, agresywne i nieposłuszne. Często mają zmienne nastroje.
- Styl obojętny skutkuje wychowaniem dzieci nadmiernie wymagających, nieposłusznych, mających problemy z rówieśnikami.
- Jeśli prezentujemy styl permisywny, nie zdziwmy się, że nasze dzieci będą impulsywne, niedojrzałe i poza wszelką kontrolą.
- Rodzice autorytarni mogą być z siebie dumni. Ich dzieci z reguły są pewne siebie, niezależne i wykazują się największą ciekawością poznawczą. Brawo!

Reguły i zasady

Większość błędów wychowawczych popełniamy zupełnie nieświadomie, a nawet z przekonaniem, że postępujemy właściwie. Jeżeli więc dostrzegamy, że dzieje się coś niepożądanego, powinniśmy uświadomić sobie własny błąd i starać się go naprawić, a z pewnością unikać go w przyszłości. Nie chcemy przecież szkodzić swojemu dziecku, bo je kochamy.

Przede wszystkim nie obawiajmy się wytyczania granic. Jesteśmy rodzicami i to my jesteśmy po to, by ustalać reguły. Starajmy się jednak, aby nasze zasady nie były zbyt rygorystyczne.

Nasze dziecko powinno sukcesywnie poznawać normy, według których chcemy, aby postępowało. Pamiętajmy, że ustanawiane reguły muszą obowiązywać wszystkich domowników. Lepiej jest z początku wprowadzić mniej zasad, ale przedstawić je jasno i wyraźnie.

Pewne zachowania są absolutnie nie do zaakceptowania, dlatego najbardziej musimy przestrzegać dotyczących ich zakazów. Rodzice zbyt pobłażliwi szybko tracą autorytet, a zbytnia surowość może przeszkadzać w naturalnym rozwoju dziecka. Właściwe wychowanie polega na balansowaniu między tymi skrajnościami.

Stały rytm życia domowego, zasady i reguły, a co za tym idzie przewidywalność otaczającego świata jest bardzo ważna dla dzieci, gdyż daje im poczucie bezpieczeństwa.

Wszystkie granice i reguły powinny być dla dziecka zrozumiałe. Tylko wtedy będziemy postrzegani jako przewodnicy. Konsekwencje przekroczenia granic powinny być jasne i powiązane z zachowaniem. Nie pozwalajmy też naruszać naszych własnych granic.

Kara musi pozostawać w bezpośrednim związku z przewinieniem. Jeżeli dziecko nie posprząta pokoju, nie możemy ukarać go, odmawiając obiecanej wcześniej przyjemności, bo to zbyt odległe od siebie rzeczy. Ale reguła, według której dziecko nie może oglądać bajek, dopóki nie poukłada zabawek, jest naturalna i zrozumiała. W ten sposób dajemy dziecku komunikat, że najpierw obowiązek, a później przyjemność.

Nie oczekujmy, że wszystkie nasze ustalenia zostaną zaakceptowane. Dzieci będą je testować, aby upewnić się, czy jesteśmy konsekwentni. Pogódźmy się z tym, że dzieciom mogą się nie spodobać nasze próby ograniczania ich swobody. Pamiętajmy jednak, że tak naprawdę potrzebują, aby ktoś powiedział im „stop", po to, by mogły poczuć się bezpiecznie.

Dajmy dzieciom prawo do okazywania własnych emocji i szanujmy je nawet wtedy, gdy jest to dla nas trudne. Ale przede wszystkim powinny czuć się kochane i ważne. Wtedy łatwiej będzie im zaakceptować nawet najbardziej „niewygodne" zasady.

Co powoduje nasz gniew i frustrację?

Odpowiedź na to pytanie jest dość prosta. Bycie rodzicem nie jest naszą jedyną rolą życiową, a poza tym, jak wszyscy, podlegamy normalnym ludzkim emocjom. Skupiając się na kontaktach z dzieckiem, możemy zidentyfikować kilka powodów najczęściej wywołujących nasz gniew:

Jeśli nie wiemy, jak poradzić sobie z histerią dziecka w miejscach publicznych, czujemy się zakłopotani.
Dziecko, które nie spełnia naszych oczekiwań i pokładanych w nim nadziei, sprawia nam zawód, co nas denerwuje.
Uważamy, że dziecko nas nie szanuje, a sądzimy, że się nam to należy.
Czujemy się bezsilni i sfrustrowani, bo nie wiemy, jak budować prawidłowe relacje z dzieckiem.
Jeśli łatwo wpadamy w złość, zacznijmy od szukania przyczyn w sobie samych. Postarajmy się je poznać i wyeliminować, a wtedy z pewnością łatwiej nam będzie zmienić te zachowania dziecka, które wywołują w nas frustrację czy ataki gniewu.
Dzieci, biorąc z nas przykład, nie robią tego od czasu do czasu. Obserwują i uczą się cały czas. Uczą się wszystkiego. Również reagowania krzykiem i atakiem złości, jeśli często widzą takie zachowanie u nas.

Potrafimy przewidzieć nasz atak złości. Z reguły czujemy narastające w nas rozdrażnienie i napięcie. Gdy już wiemy, że za chwilę możemy wybuchnąć, postarajmy się coś zmienić. Jeśli bawimy się z dzieckiem w domu, odejdźmy na chwilę, wyjdźmy na spacer lub spróbujmy pobawić się w coś innego. Jeśli to możliwe, poprośmy drugie z rodziców, aby zabrało dziecko na spacer. Chwila oddechu zwykle pomaga.
Gdy jesteśmy z dzieckiem sami i nie możemy opanować złości, upewnijmy się, że jest bezpieczne, a następnie wyjdźmy na kilka minut do innego pomieszczenia. Postarajmy się wziąć w garść i wróćmy do przerwanego zajęcia.

Bywa, że zauważamy, iż ataki gniewu zdarzają nam się coraz częściej, nawet z błahego powodu. Wtedy pora o tym porozmawiać. Często nasza nerwowość spowodowana jest czynnikami niezwiązanymi z obowiązkami rodzicielskimi. Nie starajmy się załatwiać wszystkiego sami. Poprośmy o pomoc partnera, rodzinę, przyjaciela, czy w końcu poradźmy się psychologa.

Może się zdarzyć, że pomimo starań nie unikniemy wybuchu złości. Powiedzmy wtedy dziecku, że potrzebujemy chwili spokoju, żeby pozbyć się negatywnych emocji.

Nie obawiajmy się przeprosić dziecko, jeśli sytuacja tego wymaga. Należy to zrobić bez zbędnej zwłoki. Nie przeceniajmy wpływu takiego jednorazowego wybuchu na dziecko. Nasze poczucie winy będzie trwało z pewnością znacznie dłużej niż ewentualny żal, jaki odczuwa dziecko. Pozwólmy sobie na nieco luzu. Każdy może popełnić błąd. Ważne jest, aby go zbyt często nie powtarzać.

ja

Panujmy nad własnymi emocjami

Zastanówmy się, co najczęściej wyprowadza nas z równowagi. Być może zbyt wiele oczekujemy od dziecka. Nie spodziewajmy się, że akurat nasze będzie idealne. Dziecko musi mieć możliwość postępowania jak dziecko. Pamiętajmy, że jego zachowanie znacznie zmieni się z wiekiem i w dużym stopniu będzie zależeć od naszych metod wychowawczych. Łatwiej to jednak powiedzieć niż zrobić! Często nie zdajemy sobie sprawy, że gdy dziecko krzyczy, nasz głos również staje się coraz donośniejszy. Nawet się nie spostrzeżemy, kiedy rozmowa zmieni się w kłótnię lub awanturę.

Pamiętajmy, że dziecko widzi w nas wzór. To, jak reagujemy w sytuacji stresowej, będzie miało bezpośredni wpływ na jego późniejsze reakcje. Także wobec nas. Bo jak mamy wytłumaczyć dziecku, że coś jest złe, jeśli sami to robimy?

Uważam, że powinniśmy kochać nasze dzieci bezwarunkowo. Nie znaczy to jednak, że bez względu na ich zachowanie powinniśmy je chwalić i nagradzać. Może się zdarzyć, że niepotrzebnie pokłócimy się z dzieckiem. Nie znaczy to jednak, że jesteśmy złymi rodzicami. Musimy nazwać problemy i starać się je wspólnie rozwiązać. Pamiętajmy, że to my jesteśmy rodzicami i ewentualna propozycja kompromisu powinna wyjść od nas.

I jeszcze jedno: większość dnia spędzamy w pracy, a dzień nie staje się przez to dłuższy. Czujemy się winni, bo na nic nie wystarcza nam czasu – wydaje nam się, że inni rodzice jakoś sobie radzą, tylko my nie umiemy. To nieprawda!

Nie wpadajmy w gniew

Zdarza się, że dzieci wyprowadzają nas z równowagi. Pamiętajmy, że to nie musi być ich wina. Czasem nasze zmęczenie i stres powodują niepotrzebne domowe napięcia. Nie obwiniajmy się za to. Jesteśmy ludźmi i jako tacy popełniamy błędy. Dobrze wtedy powiedzieć dziecku, jak jest nam przykro, że się zezłościliśmy. Ważne jest, aby dziecko zrozumiało, że nie znaczy to wcale, iż go nie kochamy. Może się zdarzyć, że nasze zachowanie uraziło dziecko do tego stopnia, że początkowo odrzuci przeprosiny. Spokojnie zaczekajmy. Gdy emocje już opadną, poprośmy o przytulenie się lub uścisk dłoni na zgodę. W ten sposób okażemy dziecku szacunek, jakim je darzymy. Dzieci szybko puszczają w niepamięć takie zdarzenia. Z całą pewnością za chwilę odzyskają dobry humor i chęć do zabawy.

Pamiętajmy jednak, czego z całą pewnością nie wolno nam robić:

- Nie stosujmy kar fizycznych – nie dawajmy klapsów, nie bijmy, nie potrząsajmy maluchem.
- Nie mówmy o dziecku źle przy nim ani przy innych; maluchy identyfikują się z przyczepioną etykietą.
- Nie straszmy ojcem.
- Nie upokarzajmy, porównując dziecko z „grzecznymi" rówieśnikami.
- Nie groźmy i nie szantażujmy.
- Nie straszmy, że przestaniemy je kochać – takie słowa potrafią zachwiać poczuciem bezpieczeństwa dziecka.
- Nie wygłaszajmy długich przemówień; stanowcze „nie" i trzy, cztery zdania prostego wyjaśnienia wystarczą.
- Nie mnóżmy kar, jedno przewinienie – jedna kara.
- Szukajmy powodów, by pochwalić dziecko.

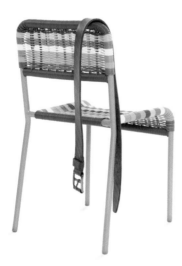

Czas z rodzicami

W naszym zabieganym i zapracowanym życiu jest element, którym powinniśmy gospodarować w sposób szczególny. To czas dla naszego dziecka, dla partnera, dla rodziny, przyjaciół i znajomych. Oczywiście również czas dla nas samych.

Nasze poczucie zadowolenia, satysfakcji i spełnienia zależy w dużej mierze od tego, czy znajdujemy chwilę dla wszystkich tych osób, siebie nie wyłączając.

Dla dziecka czas spędzony z rodzicem jest bezcenny. Początkowo jesteśmy przecież całym światem naszego malucha.

Gdy będzie dorastać, to my będziemy tłumaczyć mu wszystko, co go otacza. Ponieważ wiadomo, że czasu mamy na ogół zbyt mało, postarajmy się wykorzystać do maksimum godziny spędzone z córką czy synem.

Dziecko powinno aktywnie uczestniczyć w tym, jak spędzamy z nim czas. Jeśli jest to rozmowa, pozwólmy dziecku wybrać temat, jeśli zabawa, niech dziecko ustali reguły. Gdy idziemy na spacer, ustalmy wraz z naszą pociechą cel wędrówki.

Nie pozwólmy, aby wspólny czas stał się dla nas kolejnym domowym, uciążliwym obowiązkiem. Zróbmy wszystko, by zarówno dla naszych latorośli, jak i dla nas były to radosne, pogodne i warte zapamiętania chwile.

Jeśli mamy więcej niż jedno dziecko, nie zapominajmy, aby spędzać czas zarówno z nimi razem, jak i z każdym z osobna. Każde nich musi mieć swoje prywatne „5 minut" chociażby po to, aby opowiedzieć o swoich sekretach czy kłopotach.

Od tego, jak będą wyglądały te rozmowy, zależy, czy w wieku lat kilkunastu nasze pociechy będą nadal, jak w pierwszych latach życia, obdarzały nas zaufaniem. Pamiętajmy, że rozmowa to nie przesłuchanie. Rozmawiajmy o swoich emocjach, o tym, co lubimy, dzielmy się sobą.

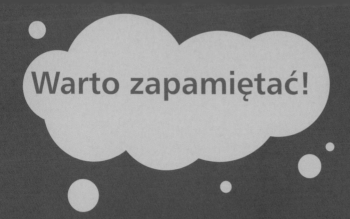

Warto zapamiętać!

Pamiętajmy, że jesteśmy najważniejszym wzorem dla naszych dzieci.

Dajmy dzieciom czas, poczucie bezpieczeństwa, miłość i zainteresowanie.

To, jaki styl wychowawczy reprezentujemy, ma ogromny wpływ na to, jakie dzieci wychowamy.

Większość błędów wychowawczych popełniamy zupełnie nieświadomie.

Spełniając wszystkie zachcianki dziecka, nie budujemy naszego autorytetu.

Oprócz bycia rodzicami jesteśmy przede wszystkim ludźmi i mamy prawo popełniać błędy.

Nie obawiajmy się przeprosić dziecko, jeśli sytuacja tego wymaga.

Wyznaczenie zasad i norm daje dziecku poczucie bezpieczeństwa i stabilizacji.

Nie oczekujmy, że dziecko natychmiast zaakceptuje wszystkie ustalone reguły.

Wykorzystajmy do maksimum czas spędzany z naszymi pociechami.

Porządek dnia

Gdy podejmujemy decyzję, jakiego rodzaju zasady ustalimy dla naszych dzieci, pamiętajmy o kilku podstawowych kwestiach. Ogromnie ważny jest wiek dziecka, jego osobowość i wiek rodzeństwa. Weźmy pod uwagę, czy dziecko ma opiekunkę i w jakim zakresie. Koniecznie uwzględnijmy wymagania pozostałych członków rodziny.

Za główną zasadę przyjmijmy, że sukces jest możliwy tylko poprzez konsekwencję. Jeśli więc zdecydowaliśmy się na jakieś reguły, przestrzegajmy ich!

Poniżej przedstawiam kilka ogólnych wskazówek pomocnych w ustaleniu zasad czy planów.

Dziecko poniżej trzech lat śpi co najmniej raz w ciągu dnia. Należy się postarać, aby ta pora była stała, a wydarzenia bezpośrednio poprzedzające drzemkę powtarzalne.

Dodatkowe pół godziny wygospodarowane każdego ranka pozwoli nam na „dobudzenie się" i zorganizowanie domu. Parę chwil na przygotowanie śniadania i ubrań może stanowić o różnicy między dobrym a złym początkiem dnia.

Dziecko w wieku szkolnym powinno już samodzielnie wykonywać proste poranne czynności, takie jak założenie skarpetek i butów na czas.

Jeśli dziecko rano marudzi, spróbujmy zabawy: śpiewajmy piosenkę, podczas gdy mały uparciuch się ubiera.

Wygrywa ten, kto skończy pierwszy. Skorzystajmy z minutnika. Dzieci lubią rywalizować z czasem.

Każdego wieczora starajmy się przygotować to, czego będziemy potrzebowali rano.

Z wiekiem nasze dziecko wymaga coraz mniej snu (aczkolwiek rzadko poniżej dziewięciu godzin dziennie). Ustalmy czas pójścia spać tak, aby mieć pewność, że dziecko wstanie o zaplanowanej porze.

Rodzinny porządek dnia

Nie istnieje cudowna recepta na stworzenie uniwersalnego rozkładu zajęć. Szukajmy właściwego rozwiązania dla naszego dziecka i rodziny. Na początek spróbujmy opisać w formie harmonogramu, jak funkcjonuje nasz dom. Szukajmy czynności stałych, mogą to być posiłki czy czas spania. Niech to będą swoiste filary domowego porządku. Pracujmy nad rozkładem dnia wspólnie z partnerem oraz innymi dorosłymi domownikami. Nie zapominajmy o ich potrzebach i uwarunkowaniach czasowych. Nie zaszkodzi też odrobina realizmu. Jeżeli nasze dziecko ma kłopoty z jedzeniem czy ubieraniem się, uwzględnijmy to, rezerwując więcej czasu.

Plan dnia to nie tylko spanie, jedzenie, wychodzenie i wracanie do domu. Na nasz dzień składają się też przyjemności, wypoczynek i czas, którego potrzebujemy dla siebie. Nie zapominajmy o tym. Gdy nasz rozkład dnia jest już gotowy, czas wprowadzić ideę w czyn. Wszak papier wszystko wytrzyma, a prawdziwy sukces osiągniemy wówczas, gdy będziemy trzymać się planu na co dzień. Pamiętajmy jednak, że dom to nie koszary i wykażmy się zdrowym rozsądkiem oraz pewną dozą elastyczności podczas wdrażania go w nasze życie.

Na tym etapie trzeba ciągle przypominać dziecku o stałych punktach planu. Ogromnie ważna jest też konsekwencja. Nie od razu Kraków zbudowano... przygotujmy się więc na to, że być może nie wszystko za pierwszym razem nam się uda. Może się okazać, że będziemy musieli nieco ulepszyć nasz plan lub wdrażać jego elementy stopniowo. Okresy choroby, wyjazdy to czas, w którym można go nieco zmodyfikować.

Dobra strategia wychowawcza zwana techniką unikania polega na przewidywaniu potencjalnie konfliktowych sytuacji i unikaniu ich. Jeżeli jakaś pora dnia jest szczególnie trudna dla ciebie lub dziecka, spędzajmy ją w inny niż zazwyczaj sposób. Jeżeli jakaś zabawa często prowadzi do płaczu i krzyku, unikajmy jej. Nie pozwólmy, by stała się kością niezgody. Pamiętajmy, by wartościowe lub niebezpieczne przedmioty usunąć z pola widzenia lub spoza zasięgu ręki dziecka.

Technika zaangażowania polega na motywowaniu dziecka, by pomagało w prostych czynnościach domowych. Poczucie obowiązku daje dziecku pewność siebie.

Modyfikacje planu dnia

Gdy już ułożymy szczegółowy plan dnia, stosujmy go konsekwentnie. Są jednak pewne sytuacje, gdy nasz precyzyjny plan musi ulec zmianie. Kiedy wybieramy się z dzieckiem na urlop, pory poszczególnych czynności niekoniecznie muszą się zgadzać z ustalonymi w domu, ale zawsze starajmy się znaleźć stałe punkty planu.

Oto kilka wskazówek pomocnych w takich sytuacjach:

- Zaufajmy naszemu dziecku. Maluchy na ogół dobrze znoszą zmiany. Nowy plan dnia może stanowić dodatkową atrakcję.
- Jeśli spędzamy wakacje z rodziną lub przyjaciółmi, uwzględnijmy to w nowym planie.
- Dzieci mogą odczuwać zmianę trybu życia, ale przyzwyczają się po kilku dniach.
- Weźmy ze sobą rzeczy znajome dziecku (zabawki, pościel).
- Zapewnijmy dziecku jego ulubione jedzenie. Będzie to dla niego sygnał, że nie wszystko się zmieniło.
- Małe dziecko nie rozumie, czemu ma przebywać w samochodzie przez kilka godzin. Zatrzymujmy się regularnie i odpoczywajmy.
- Po powrocie zostawmy sobie jeden wolny dzień w domu przed pójściem do pracy. Nie ma chyba nic gorszego od późnego przyjazdu, własnego zmęczenia i dziecka, które za nic w świecie nie chce spać!

Rodzeństwo

Organizowanie życia dwojgu lub większej liczbie dzieci może stanowić nie lada wyzwanie.

Zachęcajmy starsze rodzeństwo do pomocy przy młodszym. To buduje w starszym dziecku poczucie własnej wartości. Pamiętajmy jednak, by nie przesadzić, nasze starsze pociechy też chcą mieć dzieciństwo! Nauczmy wszystkie dzieci uczestnictwa w niektórych pracach domowych. Zaprośmy dzieci do wspólnej zabawy, wybierając gry i zabawy odpowiednie do ich wieku. Na czas zabawy odłóżmy na bok wszystko inne. Nie poświęcajmy większości czasu dziecku, które najgłośniej się tego domaga. Takie zachowanie stanowi niewłaściwy sygnał dla naszego spokojniejszego potomka.

Zadbajmy o to, aby każde z naszych dzieci miało codziennie chwilę sam na sam z jednym z nas. Wpiszmy ten czas w plan dnia.

Jeśli nasze dzieci bawią się razem, zwróćmy uwagę, aby zabawa nie wiązała się z rywalizacją. W sytuacji sporu wkraczajmy aktywnie jedynie wtedy, gdy dzieci nie potrafią same rozwiązać konfliktu. Spróbujmy jednak dać im tę możliwość.

Dobrze jest, gdy zarówno starsze, jak i młodsze dziecko ma miejsce przeznaczone tylko dla siebie. Może to być choćby szuflada w komodzie czy półka, ale niech dziecko ma możliwość schowania tam swoich „skarbów" czy ulubionych zabawek.

Nigdy nie stawiajmy jednemu dziecku drugiego za wzór. Z reguły powoduje to niechęć i może wywołać poczucie niższości. W skrajnych przypadkach dziecko, któremu wciąż wpajamy, że jego rodzeństwo jest lepsze czy mądrzejsze, w końcu w to uwierzy!

Nie uznajemy donosicielstwa w naszym dorosłym świecie. Nie nagradzajmy też takich zachowań naszych dzieci.

Dzieci w domu z mamą

Jeśli nie pracujemy zawodowo poza domem, możemy całkowicie poświęcić się wychowaniu dziecka. Pamiętajmy jednak, aby od wczesnych lat nauczyć dziecko, że oprócz zabawy mamy do zrobienia wiele innych rzeczy.

Ustalmy plan dnia, im bardziej będzie szczegółowy, tym lepiej dla dziecka, da mu bowiem poczucie bezpieczeństwa i wzmocni potrzebne mu poczucie kontroli.

Oto przykładowy plan dnia mamy zajmującej się dzieckiem i domem:

07:00 – 07:30 Wstań, ubierz się i przygotuj śniadanie.
07:30 – 08:00 Obudź dziecko i zjedzcie razem.
08:00 – 08:30 Przypilnuj porannej toalety i zaplanuj razem z dzieckiem dzień.
08:30 – 10:00 Wykonaj poranne prace domowe.
10:00 – 13:00 Idźcie do sklepu, parku, załatwcie konieczne sprawy poza domem.
13:00 – 14:00 Przygotujcie obiad, zjedzcie go.
14:00 – 15:30 Odpocznijcie.
15:30 – 16:30 Podwieczorek i wspólna zabawa.
16:30 – 17:30 Zajęcia domowe lub spacer (zależnie od pory roku i pogody).
17:30 – 18:30 Wspólna zabawa (powinna być spokojniejsza, co wyciszy dziecko przed snem).
18:30 – 19:00 Kolacja.
19:00 – 19:30 Dobranocka w telewizji.
19:30 – 20:00 Kąpiel.
20:00 – 20:30 Czytanie książki lub opowiadanie bajki i przytulanie.
20:30 Spanie.

Wychowywanie dziecka i praca zawodowa w domu może stać się dla każdej z nas ogromnym wyzwaniem. Bądźmy realistkami i nie oczekujmy zbyt wiele. Nasze dziecko nie pojmie w pełni, że czasem musimy popracować zamiast się z nim bawić.

Jeśli praca wymaga poświęcenia kilku godzin o stałej porze, umieśćmy je w planie dnia podczas snu dziecka. Spróbujmy na czas pracy uzyskać pomoc kogoś z rodziny. Może ktoś bliski zabierze nasze dziecko na dłuższy spacer, co da nam szansę na skoncentrowanie się na pracy.

Oto przykładowy plan dnia, gdy pracujemy w domu:

07:00 – 07:30 Wstań i ubierz się, przygotuj śniadanie.

07:30 – 08:00 Obudź dziecko i razem zjedzcie.

08:00 – 08:30 Umyj i ubierz dziecko i zaplanujcie cały dzień, uwzględniając Twoje godziny pracy.

08:30 – 10:00 Wykonaj konieczne prace domowe.

10:00 – 11:30 Zorganizuj dziecku zabawę w polu swego widzenia i zajmij się pracą.

11:30 – 12:30 Zrób przerwę, zjedzcie coś i pobawcie się razem.

11:30 – 12:30 Idźcie na spacer.

12:30 – 13:30 Przygotujcie obiad, zjedzcie go, a potem razem posprzątajcie.

13:30 – 15:00 Wyciszenie lub drzemka (zależnie od wieku dziecka).

15:00 – 16:30 Podwieczorek i zabawa z dzieckiem.

16:30 – 17:30 Zajmij się pracą, a dziecku zorganizuj zabawę w pobliżu siebie.

17:30 – 18:30 Wspólna zabawa (pamiętaj, aby była spokojniejsza, co przygotuje dziecko do snu).

18:30 – 19:00 Przygotujcie i zjedzcie wspólnie kolację.

19:00 – 19:30 Dobranocka w telewizji.

19:30 – 20:00 Kąpiel.

20:00 – 20:30 Czytanie i przytulanie.

20:30 Spanie.

Dzieci przedszkolne

Przygotowanie dziecka do wyjścia z domu każdego ranka to prawdziwe wyzwanie dla każdej mamy. W rozwiązaniu tego problemu na pewno może pomóc planowanie.

A oto przykładowy rozkład dnia mamy pracującej zawodowo:

Poprzedniego wieczora:

           Przygotuj ubrania. Spakuj wszystkie potrzebne rzeczy.

06:00 – 06:30 Wstań, ubierz się, przygotuj śniadanie.

06:30 – 07:00 Obudź dziecko i zjedzcie wspólnie.

07:00 – 07:30 Pomóż dziecku się umyć i ubrać.

        07:30 Wyjście do pracy/przedszkola.

        17:30 Powrót z pracy/przedszkola.

17:30 – 18.30 Zabawa z dzieckiem, rozmowa o minionym dniu.

18:30 – 19:00 Kolacja.

19:00 – 19:30 Dobranocka w telewizji.

19:30 – 20:00 Kąpiel.

20:00 – 20:30 Czytanie i przytulanie.

        20:30 Spanie.

Bądźmy razem

Przygotowując nasze rozkłady dnia, pamiętajmy, że uczestnikami domowego życia są wszyscy domownicy.

Zdarza się, że narzucamy sobie scenariusz, w którym jedno z rodziców (częściej ojciec) jest odpowiedzialny wyłącznie za zapewnienie dóbr materialnych i sprawne funkcjonowanie domu. Po jakimś czasie może się okazać, że traci on kontakt emocjonalny zarówno z partnerką, jak i z dzieckiem. Nie dopuśćmy do tego. Taki z pozoru znakomicie zorganizowany dom niepostrzeżenie zamieni się w uczuciową lodówkę. Ty – zajęta codziennymi domowymi sprawami, z dziećmi „na głowie"; on – wracający po pracy i marzący jedynie o fotelu i pilocie od telewizora.

Najważniejsze jest, abyśmy traktowali poważnie zajęcia każdego z nas, rodziców i naszych dzieci, i przejawiali zainteresowanie nimi. Nieważne, że mąż nie bardzo chce opowiadać o tym, co mu się w ciągu dnia przydarzyło. Mimo to pytajmy. On też, mimo zmęczenia, powinien znaleźć czas i ochotę, aby usiąść wieczorem i posłuchać, co się wydarzyło podczas jego nieobecności. Bądźmy razem w naszych codziennych kłopotach i radościach. Dzielmy się ze sobą zarówno sukcesami, jak i porażkami.

To też jest lekcja dla naszych dzieci. Widząc, że my, rodzice, wspieramy się nawzajem w trudnych momentach, one też zwrócą się do nas o pomoc w potrzebie.

Pamiętajmy więc, że wspólnie wychowujemy nasze dzieci. Od nas zależy, jak to rozplanujemy i ustalimy.

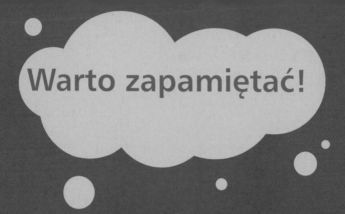

Warto zapamiętać!

Przestrzeganie planu dnia jest ważne, niezależnie od wieku dziecka i od początkowych trudności.

Dzieci szybko dostosowują się do zmian, jeśli wprowadzamy je stopniowo.

Starajmy się utrzymać stałe pory głównych czynności.

Zmniejszajmy aktywność dziecka w miarę zbliżania się pory snu.

Jasno określmy nasze oczekiwania.

Kariera zawodowa nie powinna być ważniejsza od czasu spędzanego z rodziną.

Planując dzień, zachowajmy proporcje pomiędzy obowiązkami i przyjemnościami.

Nie umniejszajmy znaczenia własnych potrzeb.

Szczęśliwy rodzic to szczęśliwe dziecko!

Dyscyplina

Wszyscy w pewnym momencie stykamy się z zagadnieniami dotyczącymi dyscyplinowania naszych dzieci. Wielu z nas nie umie podjąć właściwej decyzji, czy, kiedy i jak ukarać dziecko. Jedni z nas dają za wygraną, inni krzyczą, a jeszcze inni stosują kary fizyczne. Karanie nie rozwija samodzielności i samodyscypliny. Problemy szybko powrócą w nieco tylko zmienionej formie.

Wprowadzając dyscyplinę starajmy się pamiętać, że to my, rodzice, znamy najlepiej nasze dziecko. Jeśli napotkamy trudności, z którymi nie potrafimy sobie poradzić, w wielu miejscach możemy uzyskać poradę i pomoc.

Zazwyczaj rodzice nie wyobrażają sobie wychowania bez kar. Tymczasem współczesna pedagogika i psychologia rozstrzyga tę sprawę jednoznacznie. Wychowanie dziecka nie powinno opierać się na karach!

Nie traćmy więc czasu i energii na zastanawianie się, jakie kary są najskuteczniejsze. Postarajmy się natomiast zmienić zasadniczo swoje myślenie w kwestii wprowadzania dyscypliny. Zamiast karać dziecko za to, czego nie akceptujemy, spróbujmy skupić się na wspieraniu zachowań pozytywnych. Zamiast zakazywać, karcić, krzyczeć, dawać klapsy, ustalmy granice, których przekraczać nie można.

Nie szczędźmy maluchowi pochwał i nagród w każdym przypadku, gdy stosuje się do wyznaczonych reguł.

smutna królewna

Różnice między płciami

Na ogół dzieci różnej płci traktujemy w różny sposób. Modelujemy ich zachowanie, aby stało się „typowe" dla chłopca czy dziewczynki. W ten sposób utrwalamy stereotypy. To błąd. Określone wzorce zachowań nie są czymś wrodzonym. W procesie rozwoju dziecko dopiero się ich uczy.

Dzieci uświadamiają sobie różnice między płciami około drugiego roku życia. Jednakże musi upłynąć jeszcze co najmniej rok, aby zdały sobie sprawę z tego, co to właściwie znaczy być dziewczynką lub chłopcem. W wieku 3–4 lat dziecko rozumie już, że jest chłopcem lub dziewczynką, jednak nie zdaje sobie jeszcze sprawy, że tak już zostanie.

Nasz syn może uważać, że aby pozostać chłopcem, musi bawić się w „męskie" zabawy. Zdarza się, że chłopiec, który ma siostrę lub jest otoczony kuzynkami, mówi o sobie, jakby był dziewczynką. Niech nas to nie przeraża, to mija.

Około piątego roku życia dziecko w większym stopniu uświadamia sobie, co to znaczy być dziewczynką lub chłopcem. Zwraca wtedy uwagę na to, w co się ubiera i czym się bawi. W zabawie wybiera role przypisane zwyczajowo własnej płci

Wychowujmy dziecko bez uciekania się do stereotypów. Pozwólmy czasem synowi bawić się w dom, a córce samochodzikami, jeśli to lubią.

Są pewne wrodzone różnice, które mają wpływ na zachowanie naszych dzieci. Uważa się na ogół, że chłopcy lepiej radzą sobie z zagadnieniami technicznymi i konstrukcyjnymi. Dziewczynki natomiast mają większe umiejętności społeczne i lepiej mówią.

Chłopcy, bardziej niż dziewczynki, są narażeni na kontuzje podczas zabawy. Ich urazy są też z reguły poważniejsze. Chłopcy częściej sprawiają trudności wychowawcze.

Kiedy nasze dziecko wie, co jest dobre, a co złe?

Nie wiemy dokładnie, w jakim wieku dziecko umie w pełni ocenić konsekwencje swych działań. Często sądzi się, że dziecko rodzi się z tą wiedzą. Według mnie rozsądniej jest założyć, że dziecko do swych drugich urodzin nie ma pojęcia o związkach przyczynowo-skutkowych.

Najlepszym i najbardziej efektywnym sposobem na pokazanie dziecku, co jest dobre, a co złe, jest nasz dobry przykład i stanowcze reagowanie na złe postępowanie. Dzieci, obserwując nas, uczą się przez naśladowanie. Zachowujmy się więc w sposób, jakiego potem oczekujemy od dziecka. Tylko tak stymulujemy jego właściwe postawy.

Chwalmy nasze dziecko zawsze, gdy dobrze się zachowuje. Nie zapominajmy, że to nagroda jest najlepszą metodą wychowawczą.

Starajmy się dostosować metodę dyscyplinowania dziecka do jego wieku. W ten sposób osiągniemy najlepszy efekt. Zawsze szanujmy osobowość dziecka i uwzględniajmy jego poziom rozumienia poleceń.

W przypadku młodszych dzieci powinniśmy przede wszystkim zapobiegać złemu zachowaniu. Dobrym sposobem jest odwracanie uwagi od problemu.

Pamiętajmy, że do około trzeciego roku życia nasze dziecko nie jest jeszcze w stanie w pełni ocenić, że źle postępuje.

Starszemu dziecku łatwiej jest wytłumaczyć, że pewne zachowania nie są przez nas akceptowane. Mówmy o naszych emocjach, aby dziecko wiedziało, jak otoczenie odbiera jego zachowanie.

Trafna ocena własnych emocji i ich wpływu na innych nie jest umiejętnością, którą można opanować szybko. Uczymy się jej często przez całe życie.

Niewłaściwe zachowanie malca nie wynika z chęci zrobienia nam na złość czy ze złego charakteru. To eksperyment, którego celem jest poznanie naszych reakcji. Od nas zależy, czy niepożądane zachowania wejdą na stałe do repertuaru malucha.

Szantaż, kaprysy lub nieposłuszeństwo to dla małego dziecka sposób na określenie relacji między nami a nim. Wszystkie maluchy w głębi serca chcą żyć w zgodzie z rodzicami. Z drugiej zaś strony zachowują się prowokacyjnie, doprowadzając nas swoim zachowaniem do rozpaczy. A więc uwaga! Nie dajmy się sprowokować. Jeśli zachowamy spokój i będziemy konsekwentni, dziecko dowie się, na ile może sobie pozwolić, przekona się, że nie działa zasada: „Jeśli będę głośno wrzeszczeć, mama sama posprząta zabawki". Dowie się również, że niegrzeczne zachowanie to zły sposób na zwrócenie na siebie uwagi. Z całą pewnością ustalimy w ten sposób, kto rządzi w domu.

Nagrody i wsparcie

Pamiętajmy, że wsparcie i nagrody dają najlepsze rezultaty. Kary i zbyt wysokie wymagania mogą powodować obniżenie samooceny dziecka. Nie usprawiedliwiajmy złego zachowania dziecka jego wiekiem czy zmęczeniem. Ustalmy precyzyjne reguły i określmy jasno, jakiego zachowania oczekujemy. Zawsze bądźmy konsekwentni.

Jeśli czujemy, że między nami – rodzicami – występują jakieś różnice, ustalmy wspólne postępowanie. Nigdy nie róbmy tego jednak dopiero wtedy, kiedy już wynikną problemy, i w żadnym wypadku przy dziecku. Pamiętajmy, że najważniejsze jest, abyśmy oboje uznawali te same zasady. Nie naginajmy zasad i nie uznawajmy kompromisów, gdyż dziecko szybko zorientuje się, że nie jesteśmy konsekwentni.

Dziecko powinno otrzymać nagrodę za właściwe zachowanie. Uważajmy jednak, aby nie przerodziła się ona w przekupstwo. Repertuar nagród jest ogromny.
Nauczmy dziecko, że musi zrobić coś, za czym nie przepada, aby zasłużyć na coś, co lubi. To jest ważna lekcja.

Nie obawiajmy się też stosowania kar, jeśli tego wymaga sytuacja. Nauczmy się jednak odróżniać rozrabiakę od dziecka, które postępuje niezgodnie z ustalonymi przez nas zasadami.

Jeśli dziecko źle się zachowuje, powiedzmy mu, by przestało, i wyjaśnijmy, jakie będą następstwa nieposłuszeństwa. Zawsze dajmy ostrzeżenie. Jeśli to nie zadziała, zastosujmy wcześniej zapowiedzianą karę. Jest to niezwykle ważne, gdyż w ten sposób dziecko przekona się, że nie rzucamy słów na wiatr. Będzie czasem ciężko, ale z pewnością się opłaci.

Krzyki i histerie

Dziecko odkrywa, że może wydawać różnorodne dźwięki i chętnie demonstruje nam swoje nowe umiejętności. Rzadko krzyczy tylko po to, by nas zdenerwować. Krzyczy lub mówi zbyt głośno, bo próbuje zwrócić na siebie uwagę.

Spróbujmy zachęcać dzieci do cichszego mówienia. Nigdy nie podnośmy głosu, aby je przekrzyczeć. W ten sposób możemy tylko je nauczyć, że trzeba słuchać tego, kto mówi najgłośniej. Ściszając głos, skłonimy je do skupienia się na tym, co mówimy.

Denerwujemy się również, gdy dziecko ignoruje nasze polecenia. Niech to nas jednak nie dziwi, jeśli wydajemy je w chwili, gdy dziecko właśnie zajęło się nową zabawką. Nikt nie lubi, gdy się go zaskakuje i odrywa od fascynującego zajęcia. Postarajmy się dać dziecku czas na zakończenie zabawy i dopiero wtedy egzekwujmy polecenie.

Upewnijmy się zawsze, że dziecko rozumie, co do niego mówimy. Powiedzmy mu jasno i konkretnie, czego oczekujemy. Nie wydawajmy zbyt wielu poleceń naraz. Nie pytajmy, czy coś zrobi, powiedzmy, że ma to zrobić. Spróbujmy je pochwalić czy dać mu nagrodę za wykonanie polecenia. Powiedzmy dziecku, co się stanie, kiedy zrobi to, o co zostało poproszone.

Małe dziecko często jest przekonane, że świat istnieje jedynie dla jego wygody, a co za tym idzie, nie widzi niczego złego w przerywaniu nam naszych zajęć. Pokażmy dziecku, że szanujemy jego zajęcia, a ono będzie szanowało nasze. Dzieci poniżej czterech lat nie mają zbyt dobrze wykształconej pamięci długotrwałej. Wydaje im się, że muszą natychmiast powiedzieć wszystko, cokolwiek przyjdzie im do głowy. Dzieje się tak, ponieważ boją się, że zapomną, co miały do powiedzenia. Zaufajcie mi, że poprawa nastąpi z wiekiem, ale jest kilka rzeczy, które możemy zrobić, aby ułatwić sobie życie do tego czasu. Jeśli dziecko widzi, że otaczający je dorośli czekają na swoją kolej, aby coś powiedzieć, prawdopodobnie i ono tak się zachowa. W sytuacji, gdy przypadkowo jedno z was przerwie drugiemu, przeprośmy za to.

Brzydkie słowa i pyskowanie

Dzieci nie wiedzą, co to znaczy brzydko się wyrażać, a mimo to mają „wspaniałą" umiejętność używania nieodpowiednich słów w niewłaściwym czasie. Umiejętność ta się rozwija, zwłaszcza jeśli nasza reakcja na pewne słowa jest przesadna. Wtedy możemy być pewni, że ponownie usłyszymy brzydki wyraz, a dziecko wypowie go tylko po to, by sprawdzić, jak zareagujemy tym razem.

Czasem śmiejemy się, kiedy dziecko mówi brzydki wyraz. Pamiętajmy jednak, by nigdy tego nie robić. Dziecko może wtedy odnieść wrażenie, że aprobujemy takie zachowanie.

Pilnujmy się, aby nie używać brzydkich słów przy dziecku – z pewnością je powtórzy.

Starszemu dziecku możemy wyjaśnić, że używanie takiego słownictwa jest nieeleganckie i może ranić uczucia innych ludzi. Wyjaśnijmy mu, że język, którego używa, jest nie do zaakceptowania. Jeśli dziecko uparcie używa brzydkich słów, a nasze ostrzeżenia nie działają, zastosujmy karę. Jeśli jednak tak powiemy, musimy być konsekwentni.

W przypadku gdy nasze dziecko nie przeklina, lecz tylko pyskuje, musimy szybko znaleźć dobre rozwiązanie. Nie jest to łatwe. Przede wszystkim powinniśmy zastanowić się, co powoduje takie zachowanie.

Powiedzmy dziecku, że dostrzegamy jego zdenerwowanie czy urazę i starajmy się opracować wraz z nim sposób poprawienia sytuacji. Jeśli nadal nie uznaje naszych racji, powiedzmy, że to jest niedopuszczalne zachowanie, określmy zasady i trzymajmy się ich.

Jeśli bawimy się z dzieckiem, a ono zaczyna pyskować czy na nas krzyczeć, powiedzmy mu, że przestaniemy się z nim bawić, jeśli będzie się do nas w ten sposób odzywało. Jeśli dziecko się uspokoi, po upływie kilku minut powróćmy do zabawy.

Powinniśmy również umożliwiać dziecku samodzielne rozwiązanie własnych problemów. Porozmawiajmy o nich i wytłumaczmy, co powinno zrobić, zamiast agresywnie wykrzykiwać swoje pretensje. Szanujmy jego punkt widzenia.

Pyskowanie to często dziecięcy sposób wyrażania niezależności. Im częściej dziecko ma możliwość wyboru, im więcej decyzji podejmie samodzielnie, tym mniejsze prawdopodobieństwo, że będzie się kłócić czy pyskować.

Kłamstwa

Dzieci kłamią, ucząc się tego przez naśladownictwo. Często nie doceniamy zdolności obserwacyjnych naszych pociech. Tymczasem nie dość, że kłamiemy w obecności dzieci, to jeszcze często sami je do tego nakłaniamy.

Najczęstszym sposobem, w jaki uczymy oszukiwania, jest niespełnianie obietnic. Jeżeli chcąc coś uzyskać, składamy dziecku obietnicę i jej nie dotrzymujemy, przesyłamy prosty komunikat, że tak można robić. Dziecko, nauczone takim doświadczeniem, będzie już wiedziało, że to wygodny i szybki sposób osiągnięcia celu.

Dzieci, szczególnie te w wieku przedszkolnym, mają bardzo bujną wyobraźnię. Nie zdają sobie sprawy z tego, że mijanie się z prawdą jest czymś niewłaściwym. Ich wyobraźnia jest tak żywa, że często nie odróżniają faktów od fikcji, ale nie znaczy to, że kłamią z rozmysłem. Jeśli kłamią, to dlatego, że zapominają, jaka jest prawda. Czasem kłamią ze strachu, czasem „życzeniowo", czyli podążają za swoimi marzeniami. Powinniśmy nauczyć się odróżniać kłamstwo od fantazjowania.

Często niepokoi nas fantazjowanie dziecka. Nie jest ono jednak niebezpieczne, złe ani naganne. Czasami dziecko próbuje w ten sposób zaspokoić jakieś swoje potrzeby. Niebezpieczne może być natomiast wyśmiewanie czy karanie dziecka za to, że fantazjuje.

Jeżeli dziecko mówi o swoich wyobrażeniach, to znaczy, że nam ufa, i należy docenić jego zaufanie. Wyśmiewając dziecięce fantazje, możemy spowodować zerwanie kontaktu i porozumienia. Poznając je, mamy szansę lepiej zrozumieć potrzeby i pragnienia dziecka.

Jeśli podejrzewamy, że nasze dziecko kłamie, nie spieszmy się z oskarżeniami. Nie reagujmy zbyt ostro. Jeśli dziecko zaprzecza, że to ono nabroiło, nie karzmy go za kłamstwo. Poprośmy, aby pomogło nam naprawić szkodę.

Nie karzmy dziecka, jeśli samo przyzna się do drobnego wykroczenia. Podziękujmy mu i pochwalmy za to, że powiedziało prawdę. Sprawmy, by odczuło, że ucieszyła nas jego prawdomówność.

W miarę dorastania dziecka wytłumaczmy mu, jak ważne jest mówienie prawdy. Pamiętajmy jednak, że mniej więcej do szóstego roku życia dziecko nie w pełni pojmuje różnicę między prawdą a fantazjowaniem.

Jeśli dziecko skłamie i jesteśmy pewni, że zrobiło to świadomie, trzeba z nim porozmawiać. Zamiast jednak rozprawiać o niegodziwości kłamstwa, lepiej wyjaśnić, dlaczego warto mówić prawdę.

W sytuacji, kiedy mamy wątpliwości, czy dziecko skłamało, czy powiedziało prawdę, zawsze lepiej uwierzyć dziecku. Emocjonalna cena, jaką zapłaci ono za niesłuszne posądzenie, będzie o wiele wyższa od tej, jaką zapłacimy my, przepuszczając kłamstwo.

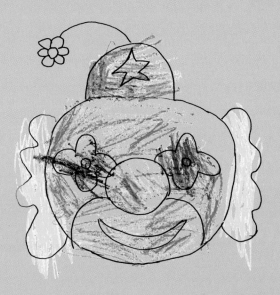

Agresja dziecka

Dziecko, które zachowuje się agresywnie, będzie odpychane przez grupę. Inne dzieci będą unikały z nim zabawy, co może wywołać tylko dodatkowy stres i nakręcić spiralę następnych agresywnych zachowań. To z kolei przyniesie skutek odwrotny do zamierzonego, lecz dziecko tego nie rozumie, bo nie zna i nie potrafi stosować zasad i reguł, które inne dzieci uważają już za oczywiste.

Usprawiedliwianie siebie i zrzucanie odpowiedzialności na dziecko, twierdzenie, że mamy do czynienia z wrodzoną agresją – wszystko to oznacza jedynie, że nie rozumiemy psychiki dziecka oraz że zaniechaliśmy rozpoznania i podjęcia skutecznych działań wychowawczych we właściwym czasie. Jeśli nie dajemy sobie rady, powinniśmy dla dobra dziecka możliwie najszybciej szukać pomocy u specjalisty.

Agresja może ujawnić się w różnych sytuacjach.
Dzieci zachowują się agresywnie, gdy czują się odrzucone, niesprawiedliwie traktowane przez grupę, opiekuna czy rodziców. Są złe, gdy zbyt często słyszą, że są głupie i do niczego się nie nadają, gdy nikt nie docenia ich osiągnięć. Reagują agresją, gdy czują się niekochane, na przykład z powodu problemów małżeńskich rodziców lub są zazdrosne o rodzeństwo. Agresja może się pojawić, gdy stawiamy dzieciom zbyt wygórowane wymagania albo pozwalamy im wierzyć, że nie są w stanie im sprostać. Dzieci mogą zachowywać się agresywnie, jeśli ich naturalna potrzeba aktywności i ruchu pozostaje niezaspokojona.

Częstym powodem jest to, że zostały zmuszone do rezygnacji z czegoś, na czym im zależało, ale nikt nie wytłumaczył im, dlaczego było to konieczne.

Agresywne zachowania ujawniają się, gdy dzieci doświadczają przemocy i agresji lub są jej świadkami i traktują to jako zachowanie normalne. Nauczone złym przykładem, mogą być przekonane, że bicie, gryzienie i drapanie to zwykły sposób rozwiązywania konfliktów. Nie potrafiąc nawiązać kontaktu z innymi dziećmi w grupie, chcą zwrócić na siebie uwagę i stosują jedyną znaną sobie metodę – bicie.

Wyciszenie

Wyciszenie to metoda, którą stosujemy, by uspokoić dziecko. W ten sposób możemy mu pomóc dojść do siebie po ataku złości i nauczyć kontrolowania własnych emocji .

Technika ta działa efektywnie, jeśli zastosujemy ją wobec dziecka co najmniej dwuletniego. Nie spodziewajmy się, że roczny maluch chociaż chwilę usiedzi spokojnie. Kiedy dziecko podczas gry czy zabawy zaczyna zauważać, że łamiemy jej reguły, wówczas prawdopodobnie jest już gotowe do wdrożenia techniki wyciszenia.

Aby zastosować tę metodę, należy wybrać odpowiednie miejsce w domu. Powinno ono być bezpieczne i znajdować się w zasięgu naszego wzroku. Wyciszenie polega na wewnętrznym uspokojeniu emocji, dlatego umieszczanie w tym miejscu zabawek lub umiejscowienie go w pokoju dziecka nie jest najlepszym rozwiązaniem.

Zawsze można użyć tej metody, będąc z dzieckiem u znajomych, w sklepie czy w parku. Ważne jest, aby zabrać dziecko z miejsca, gdzie nastąpił wybuch złości, i pozwolić mu się uspokoić.

Aby wyciszenie stało się skuteczne, pamiętajmy o kilku podstawowych zasadach. Zawsze uprzedźmy dziecko, że jeśli nie przestanie zachowywać się w nieodpowiedni sposób, zastosujemy technikę wyciszenia. Można pokazać dziecku znany gest trenerów sportowych układających dłonie w kształt litery „T" time-out (ang. czas/przerwa) i ostrzec, że pójdzie... no właśnie, w miejsce, które wybraliśmy do stosowania tej metody.

Jeśli dziecko nie posłuchało, zabieramy je do pomieszczenia czy też miejsca, w którym spędzi kilka minut. Można ustalić, że ten czas to tyle minut, ile nasze dziecko ma lat. Nasz urwis i my powinniśmy przestrzegać tego czasu. Dobrze jest na przykład zaopatrzyć się w tym celu w minutnik.

W żadnym wypadku nie rozmawiajmy wtedy z dzieckiem. Unikajmy też kontaktu wzrokowego.

Jeśli dziecko już jest w stanie histerii, wyciszanie z początku może nawet ją spotęgować. Po zaprowadzeniu dziecka w wybrane miejsce trzeba mu powiedzieć, dlaczego tam trafiło. Pamiętajmy, że przez cały czas musimy widzieć dziecko.

Jeśli dziecko nie uspokoi się i samowolnie opuszcza wskazane przez nas miejsce, zaprowadźmy je z powrotem, tyle razy, ile będzie to potrzebne, za każdym razem ustawiając na nowo czas. W początkowym okresie stosowania tej metody dziecko prawie na pewno będzie próbowało się opierać.

Gdy skończy się czas wyciszenia, porozmawiajmy z dzieckiem i przyjmijmy przeprosiny. Nie wracajmy do powodów, dla których odesłaliśmy dziecko w miejsce wyciszenia. Skupmy się raczej na tym, by doceniać i chwalić jego dobre postępowanie.

Pamiętajmy, że wyciszenie stosujemy wówczas, gdy chcemy, aby nasze dziecko czegoś **nie robiło** lub **przestało** zachowywać się niewłaściwie.

Dlaczego to czasem nie działa?

Odpowiedź jest jedna: bo popełniamy błędy przy stosowaniu tej metody. Poniżej kilka podstawowych grzechów:

- Zdarza się, że dziecko, będąc w miejscu wyciszenia, często pyta głośno, jak długo ma jeszcze tam siedzieć. Nie odpowiadajmy!
- Jeśli odpowiemy, wdamy się w dyskusję o tym, czy czas nie jest zbyt długi itd., damy dziecku sygnał, że jego zachowanie nadal wywiera na nas wpływ. To błąd.
- Zaopatrzmy się w głośno tykający, widoczny dla dziecka zegar, tak by zdawało sobie sprawę z upływu czasu.
- Gdy podczas zakupów dziecko wybierze płatki, które i nam odpowiadają, a następnie prosi, by je kupić, to wkładamy je po prostu do koszyka. Jeśli na następnej półce dziecko widzi zabawkę, która mu się podoba, prosi o nią, a my odmawiamy – wpada w histerię. Nic dziwnego. Z jego punktu widzenia nie ma różnicy między pudełkiem płatków a zabawką. Musimy zawsze wykazać się konsekwencją. Jedynie to pozwoli nam skutecznie zapobiec atakom dziecięcej złości.
- Stosując wyciszenie, wysyłamy nasze starsze dziecko do drugiego pokoju, a gdy głośno trzaska drzwiami, krzyczymy: „Nigdy więcej tego nie rób" lub coś w tym rodzaju. Znów popełniamy błąd. Dziecko wciąż dostaje potwierdzenie, że jego zachowanie wywołuje naszą reakcję.

Celem wyciszenia jest wyznaczenie pewnych norm i nauczenie dziecka samokontroli. Jeśli udaje mu się wciąż przyciągnąć naszą uwagę, cel ten nie jest osiągnięty. Dziecko wciąż ma poczucie, że kontroluje sytuację, a nie o to nam chodzi. Jeśli nadal będzie w stanie wyprowadzić nas z równowagi, w pewnym sensie będzie miało nad nami przewagę.
Tylko spokój, konsekwencja i nieokazywanie dziecku zainteresowania, gdy trwa proces wyciszenia, przyniesie właściwy i pełny efekt.

Karny dywanik

Omówiona wyżej metoda wyciszenia sprawdza się doskonale, kiedy podczas zabawy jedno z dzieci niszczy coś, co nie należy do niego lub w jakiś sposób krzywdzi inne dziecko. Karanie rozrabiaki w takiej sytuacji jest zazwyczaj mało skuteczne. Lepiej natychmiast przerwać awanturę i odsunąć od zabawy dziecko, które zachowuje się źle lub w sposób zagrażający jego bezpieczeństwu. Taka przymusowa izolacja powinna się odbywać bez dodatkowych kar, gróźb i osądów.

Pamiętajmy jednak, że karę zawsze powinno poprzedzać ostrzeżenie. Dziecko często nie rozumie, co zrobiło źle, i karę bez ostrzeżenia odbierze jako niesprawiedliwe potraktowanie. Z takiego odczucia nie wynika nic dobrego.

Zawsze należy wytłumaczyć dziecku, co źle zrobiło i dlaczego tego nie akceptujemy. Poprzez konsekwentne, zawsze odpowiednie reakcje na złe zachowanie dziecko musi nauczyć się, że nie może i nie ma prawa wyrządzać krzywdy innym, zadawać im bólu, a także niczego im niszczyć ani zabierać.

Karny dywanik to prawie to samo, co wyciszenie. Różnica polega na tym, że karny dywanik stanowi jedynie materialne oznaczenie konkretnego miejsca, którego używamy do uspokojenia emocji naszego dziecka. Uważany jest za karę głównie z powodu nazwy. Dziecko młodsze, nie rozumiejąc, co znaczy „karny", nie zauważy tej różnicy.

Karnego dywanika używajmy tylko wówczas, gdy dziecko zrobi coś zdecydowanie złego, nie zaś wtedy, gdy jest „po prostu niegrzeczne" lub zostało wyprowadzone z równowagi i musi się uspokoić.

Karny dywanik nie jest lekiem na histerię.

Kara fizyczna (klaps)

Dzieci przechodzą różne okresy w swoim życiu, załóżmy więc, że wcześniej czy później nasze dziecko będzie sprawiało mniejsze lub większe problemy wychowawcze.

Okres złości i buntu jest chyba najtrudniejszy do przetrwania, zarówno dla nich, jak i ich otoczenia.

Dziecko, które jest nieposłuszne czy niegrzeczne, często uznawane jest przez otoczenie za „niewychowane". Mówi się, że „dawno nie dostało w tyłek", ciągle bowiem rozpowszechnione jest przekonanie, że bicie dzieci jest dobrą metodą wychowawczą.

Nieprawdą jest, że z dziećmi, szczególnie z chłopcami, należy postępować surowo, bo inaczej niczego się nie nauczą. Zamiast bić, trzeba wytłumaczyć dziecku, czemu to, co zrobiło, jest złe. Trzeba być stanowczym, ale życzliwym. Spokojna rozmowa, wyrozumiałość, szacunek to najlepszy sposób dotarcia do dziecka. Warto pokazać konsekwencje jego zachowania: bijesz inne dzieci – nie jesteś lubiany, kłamiesz – nie można ci ufać.

Kara cielesna nie ma żadnego wychowawczego znaczenia – jest bezwartościowa.

Biciem pokazujemy dziecku, że postąpiło źle, lecz nie dajemy mu szansy, by zrozumiało, dlaczego to, co zrobiło, jest złe. Jeśli dziecko nie rozumie, dlaczego nie wolno mu czegoś robić, może zrobić to ponownie. To pokazuje wagę spokojnej rozmowy w sytuacji, gdy dziecko zachowuje się niewłaściwie. Nie obrażajmy się i nie wypominajmy wciąż dziecku jego nieposłuszeństwa czy złego zachowania. Dajmy mu szansę na naprawienie zła. Najważniejsze, aby zrozumiało, dlaczego postąpiło niewłaściwie.

Wymierzajmy karę tylko w ostateczności, jeśli upomnienia nic nie dają. Kara może być nieprzyjemna, ale nie bolesna. Jeśli nasze dziecko nie chce sprzątać zabawek – schowajmy tę, którą lubi najbardziej, i oddajmy, gdy zrobi to, o co prosiliśmy. Możemy zabronić mu oglądania dobranocki, odmówić kupna słodyczy... Nie dajmy się ponieść nerwom.

Wielu z nas nie ma czasu na rozmowę z dzieckiem, ponieważ jesteśmy zbyt pochłonięci sprawami zawodowymi, a po powrocie do domu najzwyczajniej nie mamy ochoty na rozmowę. Zdarza się więc, że krzyczymy i bijemy, tym sposobem nie dając dziecku szansy na normalne życie. Dziecko bite czuje się poniżone i bezwartościowe, ma problemy z nawiązaniem kontaktu z otoczeniem. Wyrządzamy mu w ten sposób wielką krzywdę.

Stosowanie siły jest oznaką bezradności rodzica. Jeśli zdarzyło się nam uderzyć własne dziecko, zdajemy sobie sprawę, że nie była to przemyślana decyzja, tylko spontaniczna reakcja wywołana złością, frustracją albo stresem. A potem był wstyd i żal, że nie udało się tego inaczej załatwić. Pomyślmy o tym wszystkim, kiedy nasze dziecko znów coś nabroi.

W żadnym wypadku i w żadnych okolicznościach nie wolno nam uderzyć ani bić dziecka. A oto podstawowe powody:

- Nie wolno bić słabszego.
- Bijąc dziecko, uczymy je, że sami dopuszczamy tę metodę.
- Agresja rodzi agresję.
- Zabrania tego Konstytucja RP.
- Bicie nie dociera do sumienia, tylko do skóry – jest przez to mało skuteczne.
- Bicie na zimno jest nieludzkie, a w gniewie – niebezpieczne, ponieważ dorosły nie kontroluje siły uderzenia.
- Bicie upokarza.
- Bicie jest aktem przemocy zabronionej przez Konwencję o Prawach Dziecka.
- Pamiętajmy: klaps to także bicie.

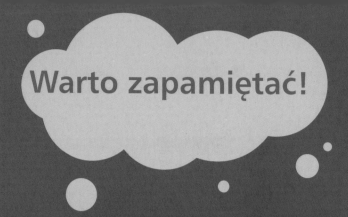

Warto zapamiętać!

Podstawą wychowania są nagrody, a nie kary.

Dziecko nie wie, co dobre, a co złe, dopóki mu tego nie wytłumaczymy we właściwy sposób.

Uważajmy, by nagroda nie przerodziła się w przekupstwo.

Upewnijmy się zawsze, że dziecko rozumie, co do niego mówimy.

Dziecko ma prawo czuć różne emocje, nawet złość.

Histeria nie jest skierowana przeciwko nam, to tylko wyraz silnych emocji.

Okażmy cierpliwość
i zachęcajmy dziecko
do mówienia prawdy.

Nauczmy się odróżniać
dziecięcą fantazję
od kłamstwa.

Na agresję dziecka reagujmy
spokojnie, ale zdecydowanie.

Gdy chcemy, aby nasze
dziecko czegoś nie robiło
lub przestało zachowywać
się niewłaściwie, możemy
zastosować wyciszenie.

Karny dywanik nie jest lekiem
na histerię.

W żadnym wypadku
i w żadnych okolicznościach
nie wolno nam uderzyć
dziecka.

Zabawa

Zabawa jest niezbędnym elementem rozwoju. Przynosi korzyść dziecku w każdym wieku. Może być rezultatem własnej inwencji dziecka bądź też współpracy z osobami dorosłymi, które dostarczają w zabawie ważnych treści społecznych i wzorców zachowania. Podczas gdy małym dzieciom to raczej my staramy się organizować zabawę, dzieci w wieku przedszkolnym bawią się często same, bez udziału dorosłych.

Pierwsze sześć lat życia każdego dziecka to czas zabawy, nie należy więc lekceważyć jej znaczenia. Spędzając czas na zabawie z dzieckiem, zachęcamy je do samodzielnego rozwiązywania problemów. Obserwując zabawę, dowiadujemy się, jaki jest tok jego rozumowania. Warto więc zainwestować trochę czasu w obserwację, jak nasz malec bawi się sam bądź też z innymi dziećmi.

Czasem dobrze jest, gdy przyjaciel lub ktoś z rodziny przygląda się naszej zabawie z dzieckiem. Zwykle łatwiej jest wówczas odnaleźć elementy, które można zmienić lub poprawić.

Najczęściej, jak to możliwe, pozwalajmy dziecku całkowicie kierować zabawą. Niech wybierze, w co i jak długo się bawimy, w ramach wyznaczonego wcześniej konkretnego czasu. Starajmy się codziennie, choć przez chwilę, bawić z dzieckiem według jego zasad.

ja ukryta

Nie ma żelaznych reguł, według których powinna przebiegać zabawa w konkretnym okresie życia dziecka. Ogólnie rzecz biorąc, jeśli dziecko dobrze się bawi, to znaczy, że gra czy zabawa jest dla niego właściwa.

Oto kilka prawidłowości:

• Najmłodsze dzieci lubią rysować kredkami i układać puzzle, bawić się zabawkami przypominającymi przedmioty codziennego użytku oraz śpiewać.
• Wraz z wiekiem nadal lubią układanki i zabawy muzyczne. Ponieważ mają dużo większe możliwości, zabawy te są bardziej złożone.
• Wraz z rozwojem wyobraźni dziecko będzie coraz chętniej fantazjowało oraz bawiło się w przebieranki.
• Jeżeli chcemy się dowiedzieć, w co lubi się bawić nasze dziecko, najlepiej jest je o to zapytać. Na ogół zostaniemy zaproszeni do zabawy, jeśli się nią zainteresujemy. Zawsze pytajmy, czy możemy przyłączyć się do zabawy.

Nasza wspólna zabawa z dzieckiem jest potrzebna zarówno jemu, jak i nam. Dziecku – ponieważ wspomaga jego rozwój, nam – ponieważ dostarcza wielu informacji na jego temat.
Współczesna psychologia wskazuje wiele różnorodnych funkcji zabaw dziecięcych, podkreśla też ich ogromne znaczenie dla rozwoju wszystkich sfer osobowości dziecka. Jest to działalność zaspokajająca istotne potrzeby dziecka, przede wszystkim potrzebę aktywnego poznawania i przekształcania rzeczywistości.
Dzięki zabawie dziecko lepiej orientuje się w świecie przyrody i życiu społecznym, uczy się rozumieć rzeczywistość i odróżniać świat realny od fikcji.

Zabawy sprzyjają rozwojowi funkcji psychomotorycznych dziecka, doskonalą jego sprawności fizyczne, ćwiczą ruchy rąk, podnoszą na wyższy poziom procesy analizy i syntezy, rozwijają umiejętność obserwacji, stwarzają okazję do przyswojenia nowych słów, określeń i pojęć, doskonalą mowę, rozwijają myślenie i wszystkie operacje umysłowe.

Dzięki zabawie rozwija się, tak niezbędna w intencjonalnym uczeniu się, zdolność do podporządkowania własnej aktywności i impulsywnych dążeń wymaganiom społecznym.
Szczególnie ważne jest to, że w zabawie – o wiele wcześniej niż w rzeczywistych sytuacjach – kształtuje się umiejętność kierowania własnym zachowaniem.

Zabawka to przedmiot do zabawy, który daje możliwość zdobywania wiedzy i doświadczenia, kształtuje umiejętności i sprawności, pobudza aktywność poznawczą, twórczą, ruchową, wspomagając społeczny i emocjonalny rozwój dziecka.
Prawidłowo dobrana zabawka pozwala dziecku rozwijać te zdolności, które na danym etapie jego rozwoju są najważniejsze – począwszy od odkrywania własnego ciała, postrzegania tego, co je otacza, rozróżniania głosów innych niż głos mamy, a skończywszy na naśladowaniu czynności dorosłych i pierwszych zabawach ćwiczących umysł.
W przypadku najmłodszych dzieci dobra zabawka powinna wspomagać rozwój ruchowy, a więc motorykę, manipulację i korzystnie wpływać na emocje. Docenić trzeba tak zwane „przytulanki". Uczą one dziecko wyrażać emocje i uczucia, zarówno pozytywne, jak i negatywne, są cenną pomocą w odkrywaniu świata, dają poczucie bezpieczeństwa.

Najprostsze pomysły na zabawę w każdym wieku

Im bardziej my, rodzice, jesteśmy za-angażowani w zabawę, tym bardziej kształtuje ona rozwój dziecka. Nasze aktywne uczestnictwo, a także zachęcanie dziecka do działania, nie tylko wydłużają czas zabawy, ale również podnoszą jej poziom. Zabawa wzmacnia więź pomiędzy rodzicami a dziećmi. Bawiąc się razem, stwarzamy poczucie bezpieczeństwa, dostarczamy coraz to nowych bodźców, uczymy, jak się bawić.

DO 2 LAT

- Zabawy dużą piłką (turlanie, rzucanie, nauka łapania)
- Zabawa przed lustrem
- Pacynki, przytulanki
- Budowanie z klocków
- Proste układanki
- Zabawy manipulacyjne

2–4 LATA

- Piłka, kręgle, różnorodne pudełka i pojemniki
- Zabawa lalkami i samochodzikami
- Pociąg, telefon
- Wkładanie mniejszych elementów w większe
- Dopasowywanie kształtów
- Rysowanie i malowanie
- Gry typu memory
- Piaskownica, robienie i burzenie babek

POWYŻEJ 4 LAT

- Budowanie z klocków
- Układanie puzzli
- Kolorowanki
- Zabawy farbami
- Zabawy wodą
- Domino
- Gry słowne
- Proste gry planszowe

DZIECKO STARSZE

- Zabawy ruchowe
- Jazda na rowerku
- Zabawy piłką
- Zabawy w dom, sklep, szkołę
- Gry logiczne, matematyczne
- Nauka i zabawa w literki
- Bardziej skomplikowane gry planszowe

Jak odciągnąć dziecko od telewizora?

Trudno jest sprawić, aby dziecko w ogóle nie oglądało telewizji. Najważniejsze jest więc, aby czas spędzony przed telewizorem był jak najbardziej produktywny. Może oczy naszego dziecka nie staną się kwadratowe, jeśli będzie oglądało zbyt dużo telewizji, jednakże straci ono okazję do robienia czegoś innego, na przykład zabawy na powietrzu czy rozmowy.

Zawsze starajmy się wytłumaczyć dziecku, że postacie z kreskówek to nie prawdziwi ludzie i robią rzeczy, których ludzie nie mogą robić. Unikajmy programów, w których pokazywana jest przemoc. Starajmy się, aby nasze dziecko nie oglądało audycji, w których używa się wulgarnego języka.

Uważnie szukajmy odpowiedniego programu dla naszego dziecka. Nie zawsze polegajmy na opinii innych dzieci lub reklamie. Zgromadźmy zbiór ulubionych filmów naszego dziecka, w ten sposób będziemy mieć wpływ na to, co ogląda.

Decydujmy, czy dziecko może oglądać dany program. Włączmy telewizor tuż przed projekcją i wyłączmy po zakończeniu programu. Oglądajmy telewizję wraz z dzieckiem, aby móc potem rozmawiać o obejrzanych programach. Nigdy nie pozostawiajmy włączonego telewizora, jeśli nie oglądamy konkretnego programu.

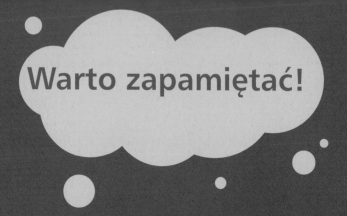

Warto zapamiętać!

Pamiętajmy, że zabawa ma kluczowe znaczenie dla rozwoju dziecka.

Zabawka musi być dostosowana do wieku dziecka.

Małe dzieci zwykle lubią bawić się piłką, a także rysować i malować.

Pozwalajmy naszym maluchom wybrać ulubioną zabawę i dajmy się do niej zaprosić.

Dzieci powyżej 4 lat lubią bardziej złożone zabawy.

Zachęcajmy nasze dziecko do dzielenia się i zabawy w grupie.

Nauczmy dziecko odróżniać prawdę od fikcji.

Wytłumaczmy dziecku, że postacie z kreskówek nie są prawdziwe.

Pamiętajmy, że telewizor może być włączony tylko wtedy, gdy oglądamy jakiś program.

W pokoju małego dziecka nie powinno być telewizora.

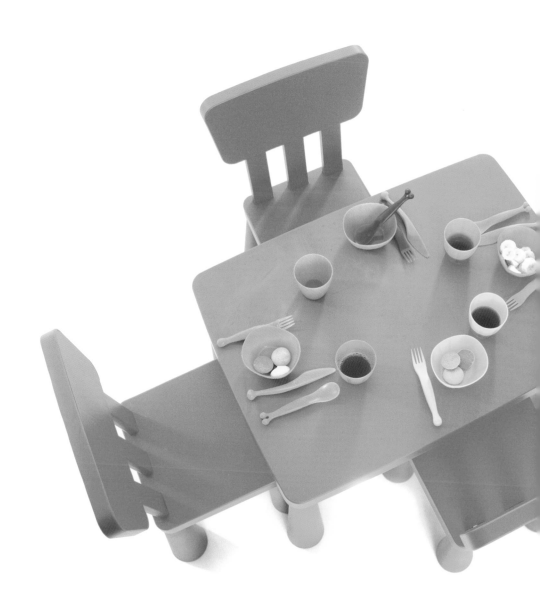

Posiłki

Wspólny posiłek jest czasem dla rodziny. Jest to okazja do tego, aby wszyscy domownicy mogli wspólnie spędzić czas i porozmawiać ze sobą. Widząc rodziny siedzące przy stole i prowadzące pogodną, wesołą rozmowę, często im tego zazdrościmy i zastanawiamy się, gdzie popełniliśmy błąd.

Kłótnie, trudności z utrzymaniem dzieci przy stole, brak dobrych manier, grymaszenie przy jedzeniu – to wszystko może być sprawdzianem cierpliwości dla każdego z nas.

Dzieci instynktownie wiedzą, czego potrzebuje ich organizm. Jeśli dziecko je niewiele, to znaczy, że po prostu więcej nie potrzebuje. Podawajmy małe porcje. Jeśli to tylko możliwe, dajmy dziecku możliwość wyboru tego, co je. Z uwagą obserwujmy rozwój upodobań żywieniowych naszych starszych dzieci. Jeśli uważamy, że dziecko je zbyt mało lub za dużo, zasięgnijmy porady dietetyka czy pediatry.

wykwintny obiad

Odstawienie butelki i przejście na „dorosłe" jedzenie

Proces wprowadzania „dorosłego" jedzenia rozpoczyna się mniej więcej w wieku sześciu miesięcy. Nie znaczy to jednak, że uda się nam zmienić jadłospis dziecka z dnia na dzień. Trwa to przez lata. Dzieci uczą się nawyków żywieniowych od nas, ale pamiętajmy, że czasami nachodzi je ochota na konkretne potrawy. Wiadomo, że dzieci mają różny apetyt i na ogół jedzą więcej w okresie wzrostu.

Oto kilka rad:

• Stosujmy metodę małych kroków.
• Zachęcajmy dziecko do próbowania różnych potraw.
• Stosujmy metodę opcji.
• Podawajmy jednocześnie znane i nieznane potrawy.
• Zmieniajmy menu.
• Nie zakładajmy, że naszemu dziecku smakuje to samo, co nam. To, że lubimy makaron, nie oznacza, że lubi go też nasze dziecko.
• Pozwólmy dziecku przyjrzeć się spokojnie jedzeniu, dajmy mu dużo czasu podczas posiłków i nie poganiajmy go.
• Spróbujmy zjeść niewielką ilość tego, co dajemy dzieciom.
• Nigdy nie zmuszajmy dziecka do jedzenia.

Niejadki i żarłoki

Niejadki spędzają sen z powiek wszystkim matkom. Wiele z nas zastanawia się, czy nasze dziecko je wystarczająco dużo. Proponujmy dziecku różnorodne jedzenie i starajmy się podać zarówno coś, co lubi, jak i nowe potrawy.

Nie wyolbrzymiajmy tego, że dziecko coś je lub nie. Pokażmy, że my też jemy to, co podajemy.

Pamiętajmy, że dzieci będą jadły, kiedy zgłodnieją, więc nie krzywmy się, jeśli nie zjedzą tyle, ile sądzimy, że powinny. Nigdy nie traktujmy jedzenia jako kary lub nagrody. Jeśli dziecko nie skończyło, nie róbmy złośliwych uwag i nie groźmy mu pozbawieniem przyjemności, jeśli posiłek nie będzie zjedzony.

Działajmy stopniowo. Podawajmy dziecku nowe jedzenie wraz ze znanymi mu potrawami przez kilka dni z rzędu. Przez parę dni dziecko może odmawiać spróbowania nowości. Jeśli uparcie odmawia jedzenia jakiegoś pokarmu, odstawmy go na kilka dni, aż dziecko zapomni. Po tym czasie spróbujmy ponownie.

Nie zmuszajmy do jedzenia. Dziecko ma prawo do niejedzenia. Zje, kiedy będzie głodne. Jeśli dziecko odmawia jedzenia głównych posiłków, zastanówmy się, ile i co zjadło między nimi. Ograniczmy przekąski, szczególnie słodkie.

Pamiętajmy, że jeśli dziecko źle się czuje, jest chore lub zmęczone, zje mniej.

Często wielu z nas nie akceptuje zabawy jedzeniem, a dzieci często bardziej zainteresowane są zabawą jedzeniem niż jego spożyciem. Zawodowi kucharze mówią jednak, że dziecko powinno przejść tę fazę, by stać się smakoszem. Pozwólmy dziecku poznać konsystencje i smaki. Pozwólmy wybrać kolor jedzenia. Zachęcajmy do próbowania. Jak najwcześniej nauczmy nasze dzieci, że jemy nie po to, by sprawić sobie przyjemność lub się pocieszyć.

Gdy nasze dziecko chce jeść samo, pozwólmy mu na to. Nie karmmy go na siłę. Zachęcajmy, ale nie zmuszajmy do używania sztućców.

Jeśli obawiamy się, że dziecko je za mało, prowadźmy dziennik przez co najmniej tydzień. Prawie na pewno będziemy zaskoczeni, jak dobrze w rzeczywistości odżywia się nasze dziecko.

Jeśli chcemy, by posiłki odbywały się w miłej atmosferze, przy stole rozmawiajmy o tym, co zdarzyło się w ciągu dnia, a nie o tym, co trzeba zjeść.

Nie pytajmy ciągle o to, na co dziecko ma ochotę. Powinno samo zrozumieć, że, jak reszta rodziny, ma jeść to, co jest przygotowane, a nie jakieś specjalne menu na życzenie. Kupujmy i podawajmy takie produkty, które lubimy wszyscy, a nie tylko dziecko.

Jeśli posiłek trwa ponad dwadzieścia minut, pozwólmy dziecku wstać od stołu. Często dziecko zaczyna bawić się jedzeniem, kiedy jest znudzone lub najedzone.

Czasami marzenie, by cała rodzina siadała do wspólnych posiłków, jest po prostu niemożliwe do zrealizowania, szczególnie gdy w domu są małe dzieci. Czasem dobrze jest wprowadzić dwie tury posiłku: dla dzieci i dla dorosłych. Starajmy się jednak jeść razem tak często, jak to tylko możliwe.

Oto kilka praktycznych rad dotyczących posiłków:

- Pozwólmy dziecku poczuć, że jest głodne.
- Urozmaicajmy jadłospis i zwracajmy uwagę na wygląd potraw.
- Ograniczajmy słodycze tuż przed jedzeniem, aby dziecko czekało na główne posiłki.
- Pamiętajmy, że nasza „dorosła" rozmowa jest nudna dla większości dzieci.

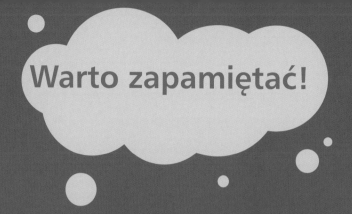

Warto zapamiętać!

Uzbrójmy się w cierpliwość, przechodząc na „dorosłe" jedzenie.

Nie rozmawiajmy przy stole o jedzeniu, lecz na inne tematy.

Zaoferujmy niejadkowi wiele możliwości, zawsze starajmy się, aby na stole było coś, co lubi.

Wprowadzając nową potrawę, nakładajmy ją na talerz dziecka codziennie przez kilka dni. Może trochę potrwać, zanim spróbuje.

Stosujmy metodę opcji (wybór z nie więcej niż z dwóch potraw).

Jeśli dziecko czegoś nie lubi i nie chce, spróbujmy znaleźć alternatywę.

Zachęcajmy do poznawania nowych smaków, na przykład poprzez zabawę.

Starajmy się siedzieć obok dziecka podczas posiłku, nawet jeśli sami nie jemy.

Zapytajmy dziecko bawiące się jedzeniem, czy już skończyło jeść, jeśli tak, pozwólmy mu odejść od stołu.

Wspólny posiłek to bardzo ważny element spajający rodzinę.

Poza domem

Przed każdym wyjściem z domu, czy to na spacer, do rodziny, czy na zakupy, postarajmy się ustalić z dzieckiem wszystkie obowiązujące zasady. Wiem, brzmi to poważnie, ale sprowadza się po prostu do rozmowy z dzieckiem o tym, gdzie i po co idziemy, i co będziemy robić.

Jeśli nauczymy się planować, nasze dziecko łatwiej zaakceptuje zasady obowiązujące podczas wyjść. Dzieci przedszkolne możemy angażować zarówno w planowanie zakupów, jak i w ustalenie odpowiedzialności na przykład za wózek sklepowy.

Zawsze starajmy się ustalić dokładną listę zakupów, jeśli w sklepie zaczniemy robić odstępstwa od planu, nasze dziecko natychmiast skorzysta z szansy i usłyszymy: „Kup mi!!!"

Nie zabierajmy dziecka do sklepu, kusząc go obietnicą kupienia zabawki czy słodyczy, chyba że naprawdę mamy taki zamiar i ustaliliśmy to z dzieckiem.

Jeśli wybieramy się z wizytą, ustalmy dokładny czas powrotu i przypomnijmy o zasadach, które obowiązują nas wszystkich. Dziecko lubi czuć się częścią rodziny i łatwiej mu przyjąć zasady obowiązujące każdego członka rodziny bez wyjątku.

Jeśli wybieramy się w podróż samochodem, pociągiem czy samolotem, przygotuj dziecko najlepiej jak potrafimy. Zabierzmy ulubionego misia, książeczki, taki „zestaw podróżnika". Postarajmy się, aby był on atrakcyjny i zawierał zarówno ukochane zabawki, jak i jakąś nowość.

samochód taty

Histeria w miejscu publicznym

Przede wszystkim wybijmy sobie z głowy, że dziecko chce nas ośmieszyć lub wprawić w zakłopotanie, gdy zachowuje się niewłaściwie w miejscu publicznym. Wiemy już, że najczęściej złe zachowanie dziecka spowodowane jest poczuciem utraty kontroli nad sytuacją. Duża ilość bodźców zewnętrznych, nowe otoczenie i zamieszanie związane z wyjściem z domu często jest przyczyną „wybuchu".

Wierzcie mi, nasze dzieci potrafią myśleć. Często zdają sobie sprawę, że łatwiej im wywrzeć na nas presję i osiągnąć cel, gdy zrobią małe „przedstawienie" w sklepie lub parku.

W końcu jedną z przyczyn złego zachowania dziecka może być po prostu chęć zwrócenia na siebie naszej uwagi, gdy pochłonięci rozmową ze znajomymi czy oglądaniem sklepowych wystaw zdajemy się zapominać o jego istnieniu.

Co zrobić, gdy dziecko urządzi nam histerię? Analogicznie do podobnych sytuacji w domu najlepiej jest nie doprowadzać do ataku złości i płaczu.

Będąc poza domem, mamy „pod ręką" wiele bodźców, które pozwolą nam odwrócić uwagę dziecka od drażliwego tematu. Jeśli jednak nam się to nie uda, najlepszą, aczkolwiek trudną, metodą walki z histerią w miejscach publicznych jest zignorowanie jej, oczywiście pod warunkiem że dziecku ani nikomu innemu nie grozi niebezpieczeństwo. Niestety, musimy uzbroić się w cierpliwość i w żadnym wypadku nie ustępować. Być może rozwiązałoby to nasz problem w danej chwili, ale przysporzyłoby z pewnością gorszych kłopotów na przyszłość. Trudno, nie zwracajmy uwagi na gapiów, pozostańmy niewzruszeni, uważając cały czas, aby nie stało się przypadkiem nic złego.

Powinniśmy zawsze przedkładać długofalowe dobro naszych dzieci nad chwilową troskę o to, co ludzie pomyślą o nas jako o rodzicach, gdy dziecko awanturuje się w miejscu publicznym.

Dobrą metodą, gdy nasze dziecko jest nieco starsze, jest opisane wcześniej wyciszenie. Przede wszystkim zabierzmy dziecko do nieco spokojniejszego miejsca i powiedzmy, że powinno się wyciszyć. Przytulajmy je, ale nie rozmawiajmy z nim.

rozgniewana

Kłopoty w samochodzie

Podróżując z dzieckiem samochodem, dobrze jest mieć pod ręką coś, czym w razie kłopotów moglibyśmy odwrócić jego uwagę. Dzieci trudno znoszą długie siedzenie bez ruchu. Zatrzymujmy się więc w miarę możliwości. Róbmy przerwy w podróży, aby dziecko mogło chwilkę się poruszać. Zadbajmy też, by mogło coś zjeść i napić się.
Warto też próbować zainteresować dziecko samą podróżą. Przed wyjazdem zaplanujmy przystanki i ciekawe punkty. Rozmawiajmy o mijanych miejscach, opowiadajmy, dokąd jedziemy i jak długo będzie trwała podróż.

Jeśli nasze dziecko ma chorobę lokomocyjną, nie zapomnijmy o lekach i o zapewnieniu możliwości wygodnego spania w samochodzie. Nigdy nie ustępujmy i nie wypinajmy z pasów. Pamiętajmy, że podróżowanie z dzieckiem nie musi być uciążliwe, jeśli tylko dobrze wszystko zorganizujemy i zaplanujemy.
Ze starszym dzieckiem możemy grać w gry słowne, zgadywanki. Możemy śpiewać piosenki lub po prostu wspólnie podziwiać widoki za oknem.
Oczywiście, jeśli w samochodzie jest dwoje dorosłych, sprawa staje się łatwiejsza. Gorzej może być, jeśli jesteśmy sami, a podróżujemy na przykład z dwójką dzieci. Musimy pamiętać o zapewnieniu bezpiecznych zabawek, w ilościach, które zaspokoją potrzeby obojga dzieci.
Zawsze też możemy sięgnąć po technikę wyciszenia poprzez wyłączenie radia i nieodzywanie się do dziecka przez jakiś czas.

Problemy w restauracji

Wybierając się z dzieckiem do restauracji czy kawiarni, warto zastanowić się, czy ta konkretna jest właściwa. Najlepiej jest wybrać niezbyt spokojną restaurację o rodzinnej atmosferze.

Pamiętajmy, że w takim miejscu możemy dziecku pozwolić, by poczuło się swobodnie, ale w ramach ustalonych reguł. Dzieci nudzą się przy stole, nie oczekujmy więc, że nasza pociecha będzie grzecznie siedzieć przez długi czas. Zabierzmy ze sobą kredki, książeczkę czy malutkie puzzle.

Nie jest najlepszym pomysłem wizyta w lokalu w towarzystwie zmęczonego dziecka. Starajmy się wybrać inny moment na wyjście.

Jeśli nie wdrożyliśmy zasad zachowania się przy stole podczas domowych posiłków, nie wymagajmy od dziecka wiedzy na ten temat i samodzielnego opanowania tajników savoir-vivre'u na czas wyjścia z domu. Nie przedłużajmy posiłku w nieskończoność i pamiętajmy, aby nasza pociecha dostała coś specjalnego, na przykład deser czy lody.

Postarajmy się uatrakcyjnić wspólne wyjście i sprawić, by kojarzyło się ono dziecku z miłymi wspomnieniami. Jak zawsze, bardzo ważne jest pierwsze doświadczenie. Tym sposobem zwiększymy szansę, że następnym razem wszystko będzie się układać po naszej myśli.

Awantura w centrum handlowym

Wraz ze zmianami sposobu i stylu życia rodzinną weekendową tradycją stało się spędzanie dużej ilości czasu w centrum handlowym. Oczywiście niekoniecznie na zakupach.

Centrum handlowe jest miejscem, w którym nasze dzieci często źle się zachowują. Dobrze jest przyjąć założenie, że nie wszyscy wokół nas obserwują, a jeśli nawet, to większość dorosłych będących świadkami złego zachowania czy histerii naszego malucha jest po naszej stronie.

Pamiętajmy, że dziecko lubi pomagać i uczestniczyć w sprawach rodzinnych. Pozwólmy mu na przykład pchać wózek, trzymać listę zakupów bądź też poszukać niektórych towarów. Zanim udamy się na zakupy, wytłumaczmy dziecku, że potem będzie jego czas i na przykład wyjdziemy do parku czy też pobawimy się wspólnie. Możliwe, że dziecko najzwyczajniej w świecie nie potrafi wytrzymać długotrwałej wędrówki po sklepach. Spróbujmy więc skrócić czas przebywania w centrum handlowym do minimum. Jeśli mamy taką możliwość, po prostu nie zabierajmy dziecka tak długo, jak to jest możliwe.

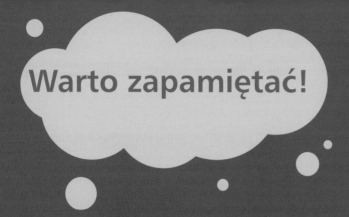

Warto zapamiętać!

Przed każdym wyjściem z domu postarajmy się ustalić lub przypomnieć dziecku wszystkie obowiązujące zasady.

Nie zabierajmy dziecka na zakupy, kusząc go obietnicą, której nie zamierzamy spełnić.

Dziecko nie chce nas ośmieszyć lub wprawić w zakłopotanie swoim zachowaniem, chce po prostu zwrócić na siebie uwagę albo coś uzyskać.

Najlepszą, aczkolwiek najtrudniejszą metodą walki z histerią dziecięcą w miejscach publicznych jest zignorowanie jej.

Pamiętajmy o „zestawie podróżnika" dla każdego z naszych dzieci.

Dokładnie zaplanujmy podróż, zatrzymujmy się, żeby odpocząć.

Rozmawiajmy o mijanych miejscach, opowiadajmy, dokąd jedziemy i jak długo będzie trwała podróż.

Idąc do restauracji, postarajmy się sprawić, że będzie się ona kojarzyć dziecku z miłymi wspomnieniami.

Wytłumaczmy dziecku, że po zakupach wyjdziemy do parku czy też wspólnie się pobawimy.

Mycie i ubieranie

Zarówno mycie, jak i ubieranie może stać się powodem rodzinnej awantury. Może, ale nie musi.

Obydwu tych czynności trzeba dziecko nauczyć. Postarajmy się, aby stały się dla niego codziennymi nawykami.

W przypadku mycia zębów i kąpieli, czyli zabiegów higienicznych, szczególnie ważne jest, byśmy sami, zachęcając dziecko, prezentowali pozytywne nastawienie. Wiemy przecież, że czynności te mogą i wręcz powinny być przyjemne, i tak właśnie przedstawiajmy to dziecku. W żadnym razie nie zmieniajmy mycia w karę.

Ubieranie to dla dziecka test na samodzielność, a dla nas próba cierpliwości. Nie oczekujmy, że dziecko nauczy się ubierać i rozbierać z dnia na dzień lub wręcz z godziny na godzinę. Musimy dać mu czas na ćwiczenie tych umiejętności.

nowa sukienka

Mycie zębów

O higienę jamy ustnej naszego dziecka możemy dbać od chwili urodzin. Już noworodkowi możemy przecierać dziąsła przegotowaną wodą czy ziółkami (np. naparem z rumianku).

Gdy pojawią się pierwsze mleczaki, kupmy miękką szczoteczkę i masując, czyśćmy ząbki przegotowaną wodą. Niech to będzie przyjemność dla dziecka. Nigdy nie róbmy tego na siłę.

Półtoraroczne dziecko umie już na ogół trzymać szczotkę i próbuje szorować nią ząbki. Pamiętajmy, że te pierwsze próby są niedokładne i zawsze powinniśmy je poprawić.

Pasty do zębów możemy zacząć używać dopiero wtedy, gdy dziecko nauczy się wypluwać ją z buzi – następuje to około drugiego roku życia. Pamiętajmy, by używać wyłącznie past i szczoteczek przeznaczonych specjalnie dla dzieci. Aby nauczyć dziecko prawidłowego szczotkowania zębów, powinniśmy początkowo zamienić to w zabawę. Myjąc zęby razem z dzieckiem, możemy pokazać mu, jak należy to robić.

Naszym zadaniem jako rodziców jest wykształcenie w dziecku nawyku mycia zębów rano i wieczorem. To taki sam nawyk, jakim powinno stać się mycie rąk po powrocie ze spaceru i przed każdym posiłkiem.

Kąpiel w dużej wannie

Przeprowadzka do dużej wanny może nastąpić dopiero wtedy, gdy nasze dziecko potrafi już samodzielnie i pewnie stać. Najczęściej dzieje się tak około dziesiątego miesiąca życia, choć są duże różnice indywidualne.

Zwykle malcowi podoba się, że ma więcej miejsca na zabawę. Przed kąpielą nie zapomnijmy o włożeniu do wanny maty antypoślizgowej.

Nigdy nie zostawiaj dziecka samego podczas kąpieli i nie spuszczaj go z oka. W śliskiej wannie nietrudno o uraz. Dziecko może się tak przestraszyć, gdy na przykład nałyka się wody, że nie będzie chciało w ogóle się kąpać.

Czasem największą trudność sprawia rodzicom umycie dziecku głowy. Pamiętajmy, że mniej więcej trzyletnie dziecko nie zaakceptuje łatwo faktu, że woda zalewa mu buzię. Nie lubi tego i już. Powinniśmy wówczas próbować bawić się z dzieckiem tak, by nie bało się zmoczenia głowy, a potem jej spłukania. Dbajmy o to, by mieć w domu „bezłzowy" szampon.

Dzieci na ogół bardzo chętnie wchodzą do wanny, gorzej jest, gdy chcemy, aby z niej wyszły. Wtedy pomoże metoda odliczania (1-2-3) lub minutnik.

Ubieranie, rozbieranie i przebieranie

Do pewnego wieku to my, rodzice, wykonujemy wszystkie czynności związane z ubieraniem i rozbieraniem dziecka. Nadchodzi jednak moment, gdy nasza pociecha mówi: „JA SAM".

Początkowo dzieci chętniej i z większą łatwością się rozbierają, niż ubierają. Pozwólmy im ćwiczyć nowe umiejętności. Zostawmy im nieco więcej czasu i bądźmy wyrozumiali dla pierwszych nieudanych prób.

Półtoraroczne dziecko potrafi już samo zdjąć buty zapinane na rzepy, spodenki czy spódniczkę na gumce. Chwalmy osiągnięcia i zachęcajmy do samodzielności.

Około drugiego roku życia dziecko powinno radzić sobie ze zdjęciem rozpiętego z przodu sweterka lub luźnego podkoszulka.

Umiejętności ubierania się dziecko nabywa dopiero około trzecich urodzin.

Czasami rodzice mają manię przebierania dziecka, gdy tylko się ubrudzi. Dziecko na ogół protestuje. Zastanówmy się, czy koniecznie musimy je przebrać. Nie bez przyczyny mówi się, że dzieci dzielą się na brudne i nieszczęśliwe. Jeśli jednak musimy dziecko przebrać, nie róbmy tego na siłę.

Nie pytajmy go o zgodę w każdej sytuacji wymagającej zmiany ubrania, po prostu dajmy do wyboru dwa stroje i zapytajmy, które z nich dziecko chce włożyć. Zawsze przedstawmy własne argumenty i dajmy dziecku chwilkę na podjęcie decyzji.

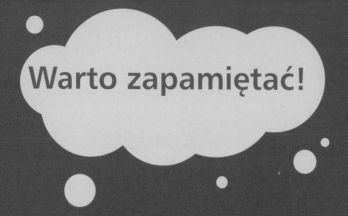

Warto zapamiętać!

Dawajmy dobry przykład, pokazując dziecku, jak dobrze umyć zęby.

Kontrolujmy, czy dziecko właściwie umyło zęby.

Używajmy wyłącznie past i szczoteczek przeznaczonych specjalnie dla dzieci.

Przenieśmy dziecko do dużej wanny, dopiero gdy potrafi już samodzielnie i pewnie stać.

Nigdy nie zostawiajmy dziecka samego podczas kąpieli i nie spuszczajmy go z oka.

Pozwólmy dziecku ćwiczyć nowe umiejętności i zawsze chwalmy jego sukcesy.

Dobierajmy ubranka i obuwie w taki sposób, aby ułatwić dziecku ich samodzielne wkładanie i zdejmowanie.

Trening czystości

N ie ma właściwego czasu na trening czystości. Jednak większość dzieci jest w stanie rozpocząć trening pomiędzy 18. a 24. miesiącem życia. Kluczem do sukcesu jest wybór właściwego momentu.

Niekiedy rodzice sadzają dziecko na nocnik, zanim zacznie ono samodzielnie siedzieć. To podstawowy błąd. To, że dziecko usiądzie na nocnik i z niego skorzysta, nie znaczy, że może już rozstać się z pieluszką.

To dziecko ma wybrać moment, w którym jest gotowe rozpocząć trening czystości. Rodzice powinni obserwować dziecko, zachęcać je i czekać na sygnały gotowości. Nauka czystości to praca dziecka, nie rodziców. Ani kary, ani nagrody nie są tu potrzebne.

Dzieci chętnie uczą się samodzielnie korzystać z toalety, ponieważ w swym rozwoju dążą do niezależności.

Trening czystości nie powinien być okupiony wysiłkiem rodziców i stresem dziecka. Ważne jest, abyśmy pamiętali, że jedne dzieci uczą się tego rytuału w kilka dni, a inne w kilka tygodni czy miesięcy. Dziecko, które idzie do przedszkola, powinno umieć już skorzystać z nocnika lub z sedesu.

Trening czystości dzielimy na trening dzienny i nocny. Ten pierwszy, czyli rezygnacja z pieluszki w ciągu dnia, na ogół dotyczy młodszego dziecka. Trening nocny, czyli zaprzestanie zakładania pieluszki na noc, możemy rozpocząć, dopiero gdy dziecko nie używa jej w ciągu dnia.

szczęśliwa

Trening dzienny

Skąd mamy wiedzieć, że dziecko jest już gotowe do treningu czystości? Zwróćmy uwagę, czy nasze dziecko:

• Jest w stanie wykonywać podstawowe polecenia.
• Stara się pomóc podczas ubierania i rozbierania.
• Zdaje sobie sprawę, że ma mokrą pieluszkę.
• Jest często suche, kiedy je przewijamy. Świadczy to o tym, że wykształciło już początki kontrolowania potrzeb fizjologicznych.

Przygotujmy dziecko do treningu, pokazując mu, co to znaczy robić siusiu czy kupkę. Pokażmy mu zawartość pieluchy, aby wiedziało, jak wygląda kupka.

Dzieci lubią naśladować wszystko i wszystkich. Wykorzystajmy to i zabierajmy je ze sobą do toalety przy każdej okazji. Zapoznajmy dziecko z toaletą jak najwcześniej, aby nie obawiało się zmiany.

W miarę zbliżania się początku treningu ustawmy nocnik w toalecie, aby dziecko mogło na nim siedzieć, gdy z niej korzystamy.
Wytłumaczmy mu, co to znaczy mokre i suche. Pobawmy się wodą i nauczmy rozróżniać, kiedy coś jest mokre, a potem suche. Zachęcajmy dziecko do towarzyszenia nam podczas mycia rąk.

Ponieważ łatwiej jest kontrolować zwieracze niż pęcherz, dzieci zazwyczaj szybciej uczą się być „czyste" niż „suche". Jeśli nasze dziecko robi kupkę regularnie, sadzajmy je na nocnik w tym właśnie czasie codziennie na 5 do 10 minut. Nie każmy mu tam jednak siedzieć do skutku. W przypadku sukcesu okażmy zadowolenie.
Na początku treningu nasze dziecko może przez kilka dni powstrzymywać potrzebę. Nie denerwujmy się. Odniesiemy sukces. Unikajmy jednak rozpoczynania treningu, jeśli w domu pojawiło się nowe dziecko.

Trening nocny

Trening nocny można rozpocząć, gdy dziecko chodzi już bez pieluszki w ciągu dnia. Z reguły następuje to po ukończeniu trzeciego roku życia. Wprowadzanie treningu na siłę może wywołać różnorodne problemy związane ze snem i najlepiej tego unikać.

Gdy dziecko regularnie budzi się czyste i suche, możecie wytłumaczyć mu, że nie potrzebuje już pieluszki. Można również zaryzykować zdjęcie pieluchy, jeśli dziecko samo wyrazi na to zgodę. Pozwólmy mu spróbować. Nie karzmy za początkowy brak sukcesów.

Zachęcajmy do korzystania z toalety przed pójściem spać i ograniczmy ilość płynów wypijanych wieczorem.

Należy zachęcać dziecko do tego, aby samo decydowało, kiedy powinno skorzystać z toalety, nie ma jednak nic złego w przypominaniu mu o tym od czasu do czasu.

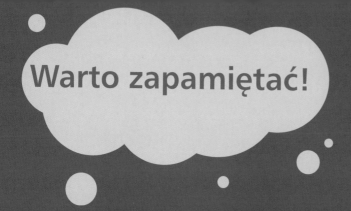

Warto zapamiętać!

Nie istnieje idealny czas
na rozpoczynanie treningu
czystości.

Pomóżmy zrozumieć,
co to znaczy „mieć mokro"
czy „mieć sucho".

Zabierajmy ze sobą dziecko
do toalety, aby mogło się z nią
zapoznać.

Oznaki gotowości podjęcia
treningu to: próby
samodzielnego rozbierania
się, sucha pieluszka oraz
sygnalizowanie czynności
fizjologicznych po fakcie.

W pierwszych dniach treningu sadzajmy dziecko na nocniku dość często, nie dłużej jednak niż na 5–10 minut.

Nocny trening powinien rozpocząć się mniej więcej pół roku po zakończeniu dziennego.

Jeśli odniesie sukces, pochwalmy je.
Nie karzmy, jeśli tego nie zrobi lub ma „wypadek".

Bliźnięta nie muszą być uczone treningu czystości jednocześnie. Uczmy każde z nich, gdy jest na to gotowe.

Zasypianie i sen

Sen i zasypianie dzieci często przysparzają rodzicom najwięcej kłopotów. Zbyt mała ilość snu może spowodować rozdrażnienie i ogólne złe samopoczucie. Specjaliści uważają, że wiele problemów wychowawczych wynika z braku określonej ilości snu.

Zawsze należy zacząć od ustalenia pory snu dla dzieci i konsekwentnie się jej trzymać, w przeciwnym razie nasze dzieci co wieczór będą chciały negocjować porę pójścia do łóżka.

Problemy ze snem mogą pojawić się w każdym momencie dzieciństwa. Dzieci przechodzą przez wiele okresów, w których pojawiają się różnorodne problemy z zasypianiem i snem. Niemowlę spokojnie przesypiające noce przez pierwsze miesiące może przysparzać problemów w starszym wieku. Na szczęście nigdy nie jest za późno na zmianę przyzwyczajeń dzieci.

zając

Samo czy z rodzicami?

Niektórzy z nas pozwalają pociechom spać w łóżkach razem z nami. Dzieci przyzwyczajają się do tej bliskości, a i my lubimy mieć dzieci przy sobie. Wspólne spanie może jednak stać się nawykiem, z którym bardzo trudno walczyć.

Jest kilka prostych reguł, których należy przestrzegać

- Oboje zgadzamy się na spanie z dzieckiem.
- Nigdy nie dzielmy łóżka z dzieckiem, jeśli jesteśmy pod wpływem alkoholu czy leków.
- Używajmy lekkiej pościeli, by nie przegrzać dziecka.
- Jeśli śpi z nami więcej niż jedno dziecko, nie pozwólmy im spać obok siebie.

Przychodzi jednak czas, gdy nie chcemy już spać z naszą pociechą. Ta zmiana może być trudna dla wszystkich, należy więc ją dokładnie zaplanować.

Najtrudniejszym wiekiem na przeniesienie dziecka do własnego łóżka jest wiek pomiędzy pierwszym a drugim rokiem życia. Nie jesteśmy w stanie wytłumaczyć dziecku, co się dokładnie dzieje, a ono doskonale zdaje sobie sprawę z tego, że zmienia otoczenie, i cierpi z powodu rozłąki. Dwulatkowi jest o wiele łatwiej wyjaśnić, o co chodzi, i włączyć go do procesu podejmowania decyzji.

Sama doradzałabym przyzwyczajanie dziecka do spania we własnym łóżku od pierwszych miesięcy życia. Jeśli jednak to się nie udało, przeprowadźmy dziecko do jego łóżka w okresie, kiedy mamy czas wolny od pracy. Jest bowiem możliwe, że po umieszczeniu dziecka w jego własnym łóżeczku czy pokoju będziemy często budzeni, a nie ma nic gorszego od krążenia po domu w środku nocy ze świadomością, że rano musimy wstać.

Powinniśmy zawsze wytłumaczyć dziecku, że jest już duże i może mieć własne łóżeczko czy pokój.

Jeśli przeprowadzka jest trudna dla naszego dziecka, aby złagodzić nieco proces i zmniejszyć siłę emocji umieśćmy w łóżeczku dziecka część naszej pościeli.

Przed zmianą pozwólmy dziecku korzystać z jego łóżka podczas popołudniowej drzemki.

Bądźmy konsekwentni i stanowczy; kiedy przekonamy się, że dziecko jest bezpieczne, pozostawmy je na kilka minut, nawet jeśli płacze. Wróćmy po tym czasie i postarajmy się je uspokoić, po czym znów zostawmy. Cierpliwość w końcu się opłaci.

Jeśli jednak nasze dziecko naprawdę nie potrafi zasnąć w nowym pokoju, być może konieczne będzie spanie razem z nim przez kilka pierwszych nocy.

Jak dobrze położyć dziecko spać?

Dla wielu rodziców wieczorna bitwa z dzieckiem o pójście do łóżka to codzienny koszmar. Zawsze gdy przychodzi pora spania, nasze dzieci stwierdzają, że chcą bawić się z nami. Szczególnie denerwujące jest to, że dziecko może zacząć budzić się i nie spać przez większą część nocy w każdym wieku.

Dzieci często odmawiają pójścia spać, gdyż chcą zademonstrować, że nie muszą spełniać naszych oczekiwań. Chcą mieć poczucie, że same o sobie decydują.

Aby zmniejszyć stres związany z układaniem dziecka do snu, stopniowo spowalniajmy jego zabawy w miarę zbliżania się wieczoru. Rozpocznijmy te działania przynajmniej dwie godziny wcześniej. Usuńmy bodźce mogące pobudzać dziecko. Zmieńmy tempo zabawy, wyłączmy telewizję i zbyt głośną muzykę.

Porozmawiajmy z dzieckiem o minionym dniu. Jeśli położy się, cały czas myśląc o swoich zmartwieniach, prawdopodobnie nie będzie mogło zasnąć. Utrzymujmy stały wieczorny rytuał, na przykład kąpiel, bajka, spanie. Pamiętajmy, by rytuał ten zawsze zaczynał się o tej samej porze. Spróbujmy dać dziecku możliwość wyboru bajki, którą przeczytamy mu przed snem. Pokażemy mu w ten sposób, że liczymy się z jego zdaniem.

Nie pozwólmy, by nasze dziecko stosowało taktykę opóźniania pójścia do łóżka, nie zapomnijmy więc o piciu i innych dziecięcych rytuałach.

Przytulmy je i ucałujmy na dobranoc.

W początkowej fazie nauki zasypiania możemy usiąść w pokoju dziecka. Nie nawiązując kontaktu wzrokowego, siedźmy i czekajmy, aż dziecko uśnie. Jeśli będzie wstawało lub wychodziło z łóżeczka, spokojnie zanośmy je z powrotem, kładźmy bez słowa pod kołdrę i wracajmy na swoje wcześniejsze miejsce. Nie dajmy się sprowokować do rozmowy. Dziecko tylko czeka, abyśmy dali się wciągnąć w dyskusję. Zawsze ustalmy, które z rodziców kładzie dziecko spać, i nie zmieniajmy tego w trakcie wieczora. W niektórych rodzinach jedno z rodziców kąpie dziecko, a drugie kładzie spać.

Pierwszych kilka wieczorów po wprowadzeniu zmian zawsze jest najtrudniejszych. Kiedy dziecko jest już w łóżku, naszym najważniejszym zadaniem jest zatrzymać je w nim.

Dzieci zaczynają przesypiać noce w różnym wieku. Jeżeli zdarza im się budzić w nocy, może to być wywołane przez:

- Ząbkowanie
- Pojawienie się rodzeństwa
- Początek nauki w szkole lub uczęszczania do przedszkola
- Stres wywołany przeżyciami minionego dnia
- Lęki nocne

Po takich nocnych przebudzeniach dzieci zazwyczaj znów same zasypiają. Jednak gdy dziecko płacze w nocy, wejdźmy do niego i sprawdźmy, czego potrzebuje, załatwmy sprawę i wyjdźmy.

Unikajmy kontaktu wzrokowego i nie odzywajmy się do niego; jest ważne, aby nie odczuwało korzyści z budzenia się.

Jeśli dziecko już mówi, zapytajmy je, dlaczego budzi się w środku nocy i jak możemy mu pomóc spać spokojnie. Nagradzajmy, kiedy ładnie prześpi noc.

Zanim nauczy się rozpoznawać godzinę, pokażmy mu, gdzie powinna być duża i mała wskazówka zegara w momencie kładzenia się spać

O poranku okazujmy zadowolenie z jego widoku, kiedy wpada do naszego pokoju.

Częste przyczyny kłopotów ze spaniem

Ponieważ wyobraźnia dziecka pracuje bez przerwy, zdarza się, że ma ono koszmary lub nocne ataki złości. To może być dla nas trudne, gdyż krzyk dziecka bywa nagły i przejmujący.

Jeśli słyszymy krzyk, dobrze jest podejść do drzwi dziecinnego pokoju i nasłuchiwać przez kilka minut. Nocne płacze są na ogół krótkie i intensywne. Dziecko nie rozbudza się wówczas w pełni. Często więc najlepszym rozwiązaniem jest danie dziecku czasu na samodzielne uspokojenie się. Czasem wystarczy łyk wody, całus lub podanie ukochanej zabawki, aby dziecko znowu spokojnie zasnęło.

Koszmary nocne zwykle jednak powodują zupełne rozbudzenie się dziecka. Często spowodowane są przeżyciami minionego dnia. Bywa, że wiążą się z nabywanymi właśnie nowymi doświadczeniami. Starajmy się rozmawiać z dzieckiem przed snem. Pytajmy, co się działo w ciągu dnia i co ono o tym myśli. Może to nieco złagodzić jego stres i pozwolić na uspokojenie.

Jeśli boi się potworów, pokażmy mu, że nie ma żadnych potworów pod łóżkiem czy w szafie. Zostawmy zapaloną lampkę przy łóżku dziecka. Kolejny dobry sposób to pozwolenie dziecku na przyniesienie i pozostawienie przy nas swojego wymyślonego potwora. Uważajmy jednak, aby dziecko nie wykorzystało tego jako pretekstu do wielokrotnego odwiedzania naszej sypialni w środku nocy.

Moczenie nocne

Jest zupełnie normalne, że małe dziecko od czasu do czasu zmoczy łóżko w nocy. Powodem nocnego moczenia może być na przykład zły sen.

Jeśli staje się to częste, sprawdźmy, czy nasze dziecko nie jest chore. Jeśli zdarzy mu się zmoczyć łóżko, reagujmy szybko. Nie róbmy z tego dużej sprawy i nie karzmy go. Zawsze pochwalmy je, gdy obudzi się suche. Jeśli dziecko nie ma problemów zdrowotnych, sporadyczne moczenie nocne może pojawiać się nawet do czasu rozpoczęcia nauki szkolnej.

Niezależnie od wszystkiego zawsze wybierzmy się do lekarza pediatry, aby wykluczyć możliwość, że moczenie nocne jest symptomem poważniejszej dolegliwości.

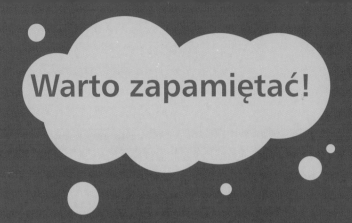

Warto zapamiętać!

Porozmawiajmy z dzieckiem o minionym dniu, zanim przyjdzie pora spania.

Uczać samodzielnego zasypiania, zostawiajmy je samo i wracajmy. Stopniowo wydłużajmy czas nieobecności. Zacznijmy od 3 minut. Stosujmy zasadę 3–5–7.

Pierwsze tygodnie w przedszkolu, przeprowadzka czy pojawienie się rodzeństwa mogą mieć wpływ na nocne zachowanie naszego dziecka.

Ustalmy dokładną godzinę pójścia do łóżka, przypomnijmy mu o tym kilka minut wcześniej.

Nie karzmy dziecka
za zmoczenie łóżka.

Dajmy mu odczuć swoje
zadowolenie, gdy tego
nie zrobi.

Podawajmy dziecku pić
nie później niż godzinę przed
snem.

Zostawmy zapaloną lampkę
w pokoju dziecięcym,
otaczająca przestrzeń wydaje
się wtedy mniej przerażająca.

Obowiązki domowe

Dzieci chcą być pełnoprawnymi członkami rodziny. Od wczesnych lat interesują się tym, co robią rodzice, i z chęcią uczestniczą w ich pracach. Spróbujmy nie zmarnować tej szansy i włączajmy je stopniowo do pomocy w podstawowych pracach domowych. Dzieci są z reguły bardzo chętne do pomagania. Pamiętajmy jednak zawsze, aby docenić ich wysiłek pochwałą, a czasem konkretniejszą nagrodą.

Jako rodzice chcemy wyposażyć nasze dzieci w umiejętności, które pomogą im w życiu. Zacznijmy więc od listy priorytetów. Przy jej budowaniu nie zapominajmy, że patrzymy na wiele spraw inaczej niż nasze pociechy. Mamy przecież bagaż doświadczeń.

Często zapominamy, że dzieci kierują się w życiu głównie entuzjazmem, radością, a nie racjonalną oceną rzeczywistości.

Aby rodzina dobrze funkcjonowała, każdy z jej członków musi w to włożyć trochę serca i wysiłku, każdy musi się postarać; wysiłki jednej osoby nie wystarczą.

Obowiązki domowe wydają się dziecku nudne lub nużące, ale przy odrobinie fantazji można to zmienić. Nie wolno jednak nakładać na dzieci zadań ponad ich siły i możliwości.

zbieram grzyby

Pomaganie rodzicom

Aby zachęcić dziecko do wykonywania prac domowych, należy mu przede wszystkim powiedzieć, co i jak ma robić. Gdy nie zrozumie od razu, pokażmy mu, jak wykonać zadanie. Nie pomagajmy zbytnio, pozwólmy, by w miarę możliwości dziecko wykonało pracę samodzielnie. Pochwalmy każdą próbę, nawet jeśli nie będzie do końca udana.

Może się zdarzyć, że dziecko nie zrozumie naszej prośby lub polecenia. Spróbujmy w odmienny sposób wytłumaczyć, czego oczekujemy. Tłumaczmy inaczej przede wszystkim dlatego, że poprzednio nie wyjaśniliśmy zbyt dobrze, a ponadto dlatego, że bezustanne powtarzanie tego samego polecenia dziecko zinterpretuje jako zmuszanie do wykonania danej czynności.

Jeśli nasze dziecko nie ukończyło jeszcze trzeciego roku życia, nie próbujmy włączać go do zbyt złożonych czynności. Na początek wystarczy, jeśli wieczorem zaniesie swoje ubranka do kosza na brudną bieliznę czy po skończonej zabawie schowa zabawki do pudła.

Pamiętajmy, że dzieci do czterech lat szybko wpadają w złość i potrafią się zniechęcić wykonywaniem zbyt skomplikowanych czynności. Wspólne wycieranie kurzu czy podawanie produktów podczas przygotowywania posiłku zupełnie wystarczą.

Starsze dziecko jest oczywiście w stanie samodzielnie wykonywać coraz poważniejsze prace. Nie zapominajmy jednak, że nie wolno zlecać mu prac, przy których może zrobić krzywdę sobie lub innym.

Bałagan w pokoju

Często nasze dziecko lub dzieci mają swój pokój, miejsce, gdzie mogą w jakiś sposób wyrazić, co czują, czy też ukryć się przed problemami otaczającego je świata. Uszanujmy to i nie walczmy jak lwy o to, aby pokój zawsze lśnił czystością. Ostatecznie czy nieco bałaganu w pokoju to naprawdę taka straszna rzecz? Jeśli możemy się do niego przyzwyczaić, niech tak zostanie, ale...

Wszystko ma swoje granice. Bałagan też!

Wyjaśnijmy dziecku, dlaczego czasem warto jest posprzątać w pokoju (choćby po to, aby znaleźć przy tej okazji rzeczy, które już dawno zostały spisane na straty).

Nie wpadajmy w gniew, gdy dziecko nie wykona natychmiast naszego polecenia. Dajmy mu trochę czasu na posprzątanie.

Jeśli wprowadziliśmy system zbierania „punktów" za dobre zachowanie, wysprzątanie pokoju może być jego częścią.

Spróbujmy wzbudzić w dziecku poczucie odpowiedzialności za jego pokój. Na przykład pozwólmy mu wybrać nowy plakat, który zawiśnie na ścianie sprzątniętego uprzednio pokoju.

Pamiętajmy, że prośba „sprzątnij swój pokój" jest jednym z najmniej precyzyjnych i konkretnych poleceń, jakie można wydać dziecku.

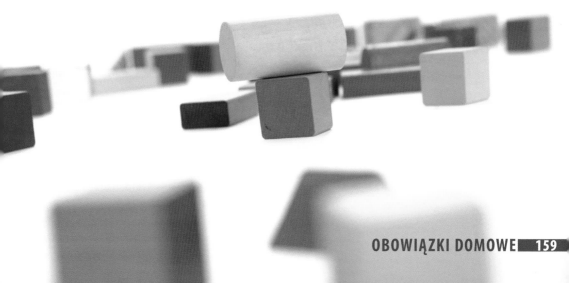

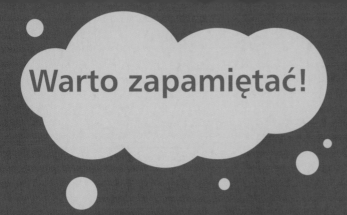

Warto zapamiętać!

Dostosujmy stopień złożoności polecenia do wieku dziecka.

Nie zlecajmy dziecku prac, przy których może zrobić krzywdę sobie lub innym.

Pozwólmy, by w miarę możliwości dziecko wykonywało swoją pracę samodzielnie.

Nie wpadajmy w gniew, gdy dziecko nie wykona natychmiast naszego polecenia.

Wydawajmy konkretne
i precyzyjne polecenia.

Upewnijmy się, że dziecko
rozumie, czego od niego
oczekujemy.

Pochwalmy każdą próbę,
nawet jeśli nie będzie
do końca udana.

Starsze dziecko powinno
czuć się odpowiedzialne
za porządek we własnym
pokoju.

Domowe BHP

Naszym obowiązkiem jest zapewnienie dzieciom bezpieczeństwa w domu.

Aby maluch był bezpieczny, ustalmy jasne reguły i konsekwentnie ich przestrzegajmy. Nie wystarczy po kilka razy dziennie powtarzać zakazy. Powinniśmy pamiętać o zasadach bezpieczeństwa i stworzyć nasze domowe BHP.

Oto kilka przykładów:

- Nie sadzamy dziecka na blacie w kuchni ani na żadnym innym stole.
- Nie dajemy do zabawy pudełeczek po lekach.
- Lekarstwa trzymamy poza zasięgiem rączek i wzroku dziecka.
- Przechowujemy chemiczne środki czystości w miejscu niedostępnym dla dziecka lub w szafce zamykanej na klucz.
- Zabezpieczamy wszystkie gniazdka elektryczne specjalnymi zaślepkami.
- Blokujemy okna, a na balkonie nie trzymamy pudełek ani krzeseł, na które dziecko może się wspiąć.

Przede wszystkim: uniemożliwiajmy dziecku dostęp do miejsc, które są najbardziej niebezpieczne. Jego ciekawość świata może być silniejsza niż nasz zakaz.

GNIAZDKA ELEKTRYCZNE

Nie ma chyba dziecka, którego nie kusiłyby dwie dziurki w ścianie, gdzie można coś włożyć. Na takie eksperymenty nie możemy jednak pozwolić, a same zakazy nie będą skuteczne. Dlatego zabezpieczmy każde gniazdko specjalnymi plastikowymi zaślepkami, których dziecko nie jest w stanie wyjąć.

Nigdy nie zapominajmy włożyć ich z powrotem po użyciu sprzętu elektrycznego. Jeśli to możliwe, starajmy się, by gniazdka były czymś zasłonięte. Zwiększamy wtedy szansę, że maluch nie zwróci na nie uwagi.

BALKON I OKNA

Nawet jeśli nasz balkon wydaje się nam bezpieczny, nigdy nie zostawiajmy na nim dziecka bez nadzoru. Usuńmy z niego wszystkie przedmioty, po których szkrab mógłby się wspiąć (stolik, krzesła, pudła, rowerek). Pamiętajmy, by nic nie stało przy parapetach, by dziecko nie mogło się na nie wdrapać. Okna koniecznie zabezpieczmy blokadami i załóżmy je jak najwyżej, by smyk nie mógł ich zdjąć

KUCHNIA

Kuchnia to dla dzieci wyjątkowo atrakcyjne, ale i bardzo niebezpieczne miejsce. Trudno zabronić malcowi wstępu do niej, gdy sami tam jesteśmy. Pamiętajmy o zabezpieczeniu kuchenki, tak aby maluch nie mógł wyciągnąć ręki do zapalonego palnika lub ściągnąć garnka z gotującą się zupą. Przy dziecku gotujmy na tylnych palnikach.

Pamiętajmy, że gdy włączony jest piekarnik, zazwyczaj nagrzewa się cała kuchenka. Lepiej więc korzystać z niego, gdy dziecko śpi, lub na ten czas wychodzić z nim z kuchni.

SCHOWEK Z CHEMIĄ GOSPODARCZĄ

Proszki do prania, płyny do czyszczenia, kosmetyki, środki do pielęgnacji mebli zawierają szkodliwe, a nawet trujące substancje, dlatego muszą znajdować się poza zasięgiem dziecięcych rąk.

Trzymajmy chemikalia w jednym miejscu, w zamykanej szafce, której maluch sam nie zdoła otworzyć. Pamiętajmy, że to my, dorośli, jesteśmy odpowiedzialni za zabezpieczenie domu.

APTECZKA

Wszystkie leki przechowujmy w jednym miejscu. Gdy poniewierają się po domu, bardzo trudno przypilnować, by w którymś momencie malec nie zaczął się nimi bawić. Kolorowe pigułki przypominają przecież smaczne cukierki.

Najlepiej zapakujmy je do pudełka i schowajmy do możliwie wysoko umieszczonej szafki. Nigdy też nie wyrzucajmy lekarstw do kosza na śmieci – malec mógłby je wyjąć i połknąć.

SCHODY

Jeśli mamy w domu schody, koniecznie musimy je zabezpieczyć. Nie ma bowiem siły, która powstrzymałaby nasze dziecko od wspinania się na nie. Dziecko musi nauczyć się wchodzenia i schodzenia, nigdy jednak nie powinno robić tego samo, bo może się to skończyć przykrym upadkiem.

Domowe schody zabezpieczmy więc specjalną bramką (musi być solidnie wykonana i dobrze przymocowana do ściany). Gdy malec będzie już pewnie chodził, zamontujmy ją na wysokości trzeciego stopnia, by miał okazję ćwiczyć sztukę wspinania się, nie robiąc sobie krzywdy. Na klatce schodowej należy zawsze trzymać dziecko za rękę.

SZAFKI, SZUFLADY I REGAŁY

Wszystkie ostre i niebezpieczne przedmioty, którymi dziecko mogłoby zrobić sobie krzywdę, schowajmy w najwyżej położonych szafkach i szufladach, do których szkrab nie ma dostępu. Jeśli to niemożliwe, zainstalujmy specjalne blokady, dzięki którym nie będzie mógł tych szuflad otworzyć.

Wyznaczmy jedną szafkę, w której nasz poszukiwacz skarbów będzie mógł swobodnie buszować. Przechowujmy w niej garnki, drewniane i plastikowe naczynia, sitka, czyli przedmioty bezpieczne dla dziecka.

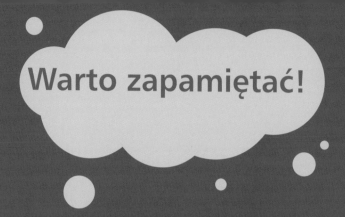

Warto zapamiętać!

Zapewnienie dzieciom
bezpieczeństwa w domu
jest naszym obowiązkiem.

Osłońmy każde gniazdko
specjalnymi plastikowymi
zaślepkami.

Zabezpieczmy wszystkie
miejsca, które są najbardziej
niebezpieczne.

Nigdy nie zostawiajmy małego
dziecka bez nadzoru.

Zabezpieczmy kuchenkę
i piekarnik, przy dziecku
gotujmy na tylnych palnikach.

Środki chemiczne i lekarstwa trzymajmy w zamykanych szafkach.

Ostre i niebezpieczne przedmioty schowajmy w najwyżej położonych szafkach i szufladach.

Na schodach zawsze trzymajmy dziecko za rękę.

Szczególnie dbajmy o właściwe zabezpieczenie okien i balkonów.

Najczęstsze problemy

Gdy rozmawiam o największych kłopotach wychowawczych, prawie zawsze słyszę o niekontrolowanym płaczu, szlochach, gryzieniu i biciu. Nawet jeśli powtarzam, że to etapy rozwojowe i każde dziecko przez to przechodzi, to te właśnie sprawy niepokoją rodziców najbardziej. Rozwój rozwojem, ale nie znaczy to, że mamy po prostu przejść do porządku dziennego nad niektórymi zachowaniami.

Dziecko, jak każdy człowiek, ma określone emocje i potrzeby. Jednak w odróżnieniu od dorosłego nie potrafi ich jeszcze rozpoznać i nazwać. Zadaniem rodziców jest mu w tym pomóc.

Obserwując rozwój naszych pociech, zwracajmy uwagę na sytuacje, w których zachowują się niezgodnie z wyznaczonymi przez nas granicami i zasadami. Wiedza na ten temat pozwoli nam prawidłowo i skutecznie reagować.

Powinniśmy pamiętać, że pewne zachowania mogą być usprawiedliwione rozwojowo, inne zaś wynikają z naszych zaniedbań czy braku konsekwencji.

Czasami problemy uznawane przez nas za wyjątkowe i nierozwiązywalne są w rzeczywistości trudnościami wychowawczymi i dotyczą większości rodzin.

przejścia nie ma

Gryzienie

Gryzienie zdarza się prawie każdemu dziecku, więc nie jest czymś niezwykłym. Mniej więcej do piątego roku życia z całą pewnością nie raz kogoś ugryzie i zostanie ugryzione w odwecie!

Gryzienie to jeden z przejawów utraty panowania nad sobą. Uczucia, których dziecko nie jest w stanie wyrazić słowami, zmuszają je do użycia ząbków. Czasem powód jest jednak inny, na przykład źle okazywane uczucie czy duże ożywienie.

Gdy nasze dziecko gryzie, w pierwszej kolejności oddzielmy dzieci od siebie. Jeśli jest taka konieczność, udzielmy pierwszej pomocy. Pamiętajmy, aby zająć się także agresorem, gdyż on też nie jest zadowolony z zaistniałej sytuacji. Tłumaczmy, co się stało, i zachęcajmy do wyrażania uczuć w inny sposób. Pomóżmy dziecku nazwać swoje uczucia.

Znajdźmy czas, aby zastanowić się, kiedy i dlaczego nasze dziecko gryzie. Będziemy wówczas w stanie eliminować przyczyny takiego zachowania.

Zachęcając dziecko do otwartości w uczuciach, pomagajmy mu poradzić sobie z gniewem w inny sposób.

Czasem zdarza się, że dziecko próbuje gryźć nas. Należy bezwarunkowo tego zabronić. Trzeba dać dziecku ostrzeżenie. Powiedzieć o swoich uczuciach i po prostu odejść na chwilkę. Jeżeli dziecko nadal będzie próbowało nas ugryźć, zastosujmy jedną z dostępnych nam kar. Nie pozwólmy również, aby dziecko gryzło innego dorosłego. Gryzienie w żadnym wypadku nie może się zamienić we wspólną zabawę. Nie powinniśmy się ani śmiać, ani oddawać dziecku „gryzków". Gryzienie kogokolwiek ma być zabronione w naszym domu.

Nasze dziecko się bije

Przyczyny bicia i gryzienia są podobne. Dziecko zwykle reaguje biciem, gdy mu czegoś odmawiamy lub staramy się je zdyscyplinować. Pamiętajmy, że nie wolno nam oddać dziecku! Jeśli je uderzymy, to przekażemy komunikat, że bicie jest akceptowalnym sposobem wyrażania emocji. Zamiast tego powiedzmy mu, że rozumiemy jego złość i rozgoryczenie, ale nie wolno bić, bo to boli.

Najważniejsza jest szybkość naszej reakcji. I konsekwencja. Dziecko musi wiedzieć, że zawsze i w każdym wypadku zareagujemy na bicie.

Starajmy się przewidywać reakcje dziecka i powiedzmy mu jasno i wyraźnie, dlaczego nie należy tego więcej robić.

Musimy pomóc dziecku w zrozumieniu, że złościć się jest w porządku. To, co nie jest w porządku, to sposób, w jaki wyraża swą złość. Postarajmy się pokazać mu inny sposób wyrażania złości, na przykład słowny. Zastanówmy się, w jaki sposób my sami odreagowujemy frustrację.

Płacze i szlochy

Chlipanie to także rodzaj histerii. Jednak nasze dziecko z całą pewnością nie zdaje sobie z tego sprawy. Zawsze gdy nasze dziecko zaczyna chlipać, powiedzmy mu, że jest to denerwujące. Poprośmy, aby mówiło spokojnie.

Jedną z najlepszych metod radzenia sobie z chlipaniem jest unikanie tego typu sytuacji. Jeśli nam się nie uda, zachowajmy spokój. Poprośmy, by przestało, a w końcu zignorujmy je, jeśli to niezbędne.
Płacz naszego dziecka również może wyprowadzić nas z równowagi. Wszyscy wiemy, że dzieci płaczą, ale co zrobić, jeśli dziecko płacze bez przerwy? Płacz to również sposób na wyrażanie emocji. Emocje, i te dobre, i te złe, są potrzebne i ważne jest, aby nasze dziecko czuło, że jego emocje się liczą.

Zamiast prosić, by przestało płakać, zapytajmy o powód niezadowolenia. Wyjaśnijmy, że płacz z powodu drobiazgów nie jest dobrym rozwiązaniem, że lepiej po prostu o tym porozmawiać.
Jeśli to zawiedzie, nie zwracajmy uwagi, gdy dziecko płacze z błahego powodu. Powiedzmy mu, że kiedy się uspokoi, to chętnie z nim porozmawiamy.

Dziecko z pewnością przestanie płakać, a wtedy z całą uwagą wysłuchajmy tego, co ma nam do powiedzenia. Dziecko wtedy zrozumie, że rozmowa przynosi z reguły lepszy skutek niż płacz.

Kiedy dziecko powie „nie"

Dziecko, jak już wiemy, lubi w miarę możliwości myśleć, że panuje nad sytuacją. Chce kontrolować również swoje najbliższe otoczenie. Jeśli wydaje mu się, że jest tej kontroli pozbawione, stara się ją odzyskać, odmawiając wykonywania naszych poleceń.

Ponieważ znamy już powód, dla którego dziecko mówi „NIE", spróbujmy zastanowić się, jak go zlikwidować.

Dziecko chce podejmować wszelkie decyzje i w miarę sposobności powinniśmy mu to umożliwić. Pozwólmy wybrać, jaką koszulkę włoży na spacer czy też którą bajkę opowiemy na dobranoc. Gdy sprawy zajdą nieco dalej i nasza pociecha nie będzie chciała nawet dokonać wyboru, wytłumaczmy, że w tej sytuacji wybierzemy za nią.

Starajmy się zauważać i doceniać, że nasze dziecko jest uczynne i pomocne. Niektórzy stosują z sukcesem zasadę „5 do 1". Spróbujmy na pięć pochwał dać dziecku jedną reprymendę. Tak jak na każdego z nas, również na dziecko pochwała ma wpływ motywujący.

Zdarza się, że dziecko odmawia, ponieważ nie rozumie, czemu ma służyć jego działanie albo zachowanie. Tłumaczmy, dlaczego oczekujemy, aby coś zrobiło. Starajmy się uważnie dobierać argumenty. Dobrze jest wyznaczać czas, w którym oczekujemy wykonania polecenia. Dziecko rozumie wówczas lepiej i poważnie traktuje naszą prośbę. I znów powtarzam: nagradzajmy dobre zachowanie!

Będziesz miał rodzeństwo

Wyobraźmy sobie sytuację, w której mąż pewnego dnia przyprowadza do domu kobietę, z radością oznajmiając, że to jego nowa żona i teraz zamieszkacie we troje. Oczywiście mąż zapewnia, że nadal kocha tę pierwszą i nic się między nimi nie zmieni...
Ta anegdota w idealny sposób ilustruje sytuację starszego dziecka w konfrontacji z nowym rodzeństwem.

Dotychczas cały nasz czas i uwagę poświęcaliśmy jedynakowi. Teraz, co bywa szczególnie odczuwalne w pierwszych miesiącach po przyjściu na świat drugiego dziecka, wszystko zdaje się toczyć wokół nowego lokatora.
Zdarza się, że starsze dzieci stają się agresywne wobec rodzeństwa, w ten sposób okazując swoje niezadowolenie z pojawienia się nowych domowników.
Czasem dzieci, szczególnie młodsze, wycofują się i usuwają w cień, nie bardzo zdając sobie sprawę ze znaczenia zachodzących zmian. Wtedy mogą pojawić się zachowania regresywne, czyli takie, w których nasze „duże" dziecko zaczyna się zachowywać jak niemowlę. Sięga po butelkę, dawno odstawiony smoczek, domaga się pieluchy czy wręcz powrotu do naszego łóżka.
Przede wszystkim pamiętajmy, że dzieci, tak jak i my sami, nie lubią być zaskakiwane. Zróbmy więc wszystko, aby przygotować je na przyjęcie nowego domownika.

Dziecko ma prawo wiedzieć, co się dzieje. Pokażmy mu zawczasu widoczne oznaki ciąży. Spróbujmy włączyć je w przygotowania do przyjścia na świat siostry czy brata. Forma tego uczestnictwa będzie różna w zależności od wieku, może to być na przykład pomoc w wyborze ubranek, łóżeczka, a nawet imienia.
Nie ukrywajmy przed dzieckiem, że narodziny nowego członka rodziny przyniosą znaczące zmiany w życiu nas wszystkich. Przygotujmy je również odpowiednio wcześnie na „zniknięcie" mamy na czas porodu.

Powiedzmy starszemu dziecku, że niemowlę będzie się wielu rzeczy uczyło od niego. Wytłumaczmy, jak ważną rolę odegra w życiu naszego malca. Rola „szefa" z pewnością przypadnie mu do gustu.

Starsze rodzeństwo, jeśli wdrożymy je w to od początku, z chęcią będzie nam pomagało przy młodszym. Starajmy się, aby czuło, że ma wpływ na podejmowane decyzje, na przykład w co ubierzemy malucha czy jaką mu poczytamy książeczkę.

Czasem starsze rodzeństwo zachowuje się agresywnie. Musimy wówczas interweniować.

Spróbujmy skłonić dziecko, aby opowiedziało nam, co czuje w związku z pojawieniem się nowego domownika. Niezmiernie ważne jest również, by codziennie znaleźć czas na zabawę i rozmowę tylko z nim. Należy wówczas utwierdzać je w przekonaniu, że traktujemy je jak „prawie" dorosłe. Wytłumaczmy dziecku, jak duże są jego umiejętności w porównaniu z naszym maleństwem. Poczuje się wówczas ważne i docenione, co pomoże nam uzyskać od niego wsparcie i pomoc.

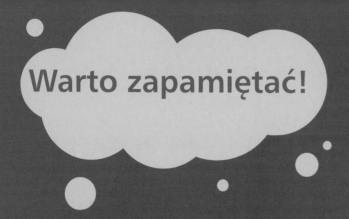

Warto zapamiętać!

Gdy dziecko płacze, zapytajmy je, co niedobrego się stało, i zachęcajmy do wyrażania uczuć w inny sposób.

Dziecko musi wiedzieć, że zawsze i w każdym wypadku zdecydowanie zareagujemy na bicie kogokolwiek.

Gryzienie w żadnym wypadku nie może się zamienić we wspólną zabawę.

Zastanówmy się, w jaki sposób my sami odreagowujemy frustrację.

Jeśli dziecko próbuje nas uderzyć, nigdy nie wolno nam oddać!

Zamiast mówić dziecku, by przestało płakać, poprośmy, aby powiedziało nam, czemu jest niezadowolone.

W chwili, gdy przestanie płakać, poświęćmy mu sto procent uwagi.

Nauczmy dziecko, że rozmowa zawsze przynosi lepszy skutek niż histeria.

Zdarza się, że dziecko odmawia, ponieważ nie rozumie, dlaczego ma coś zrobić.

Zróbmy wszystko, aby przygotować nasze pociechy na przyjęcie nowego domownika.

Niezmiernie ważne jest, by codziennie znaleźć czas na zabawę i rozmowę tylko ze starszym dzieckiem.

To, co najważniejsze

Wychowując dziecko, powinniśmy pamiętać o kilku podstawowych zasadach. Ich zrozumienie i stosowanie pozwoli w pełni wykorzystać opisane w tej książce techniki i metody pracy z dzieckiem. Reguły te oparte są na psychologicznej wiedzy o rozwoju dziecka. Pomagają w budowaniu prawidłowych relacji w rodzinie oraz wzmacniają w dziecku poczucie własnej wartości. Sprawdzają się w większości sytuacji wychowawczych.

Fundamenty dobrych relacji rodzinnych to z jednej strony wzajemne okazywanie uczuć, ciepła i czuła rozmowa oraz wspólna zabawa, z drugiej zaś – normy i granice, zwyczaje oraz odpowiedzialność za dziecko i jego prawidłowy rozwój.

Nagrody i pochwały powinny być podstawą wychowania.

Nie decydujmy o wszystkim za dziecko. Nauczmy je rozumieć zarówno siebie, jak i innych ludzi.

Zasady i reguły dostosujmy do wieku dziecka i modyfikujmy je wraz z jego rozwojem.

rozmowa ze słońcem

OKAZYWANIE UCZUĆ

Szczere okazywanie uczuć jest podstawą budowania dobrych relacji również z naszymi dziećmi. Uzewnętrzniajmy uczucia, nazywajmy je i pozwólmy dziecku, jak i sobie, wyrażać wszystkie emocje i nastroje. Zarówno te dobre, jak i te złe.

Nie tylko my mamy prawo okazywać miłość, radość czy niezadowolenie i złość. To samo odnosi się do naszych dzieci. Pamiętajmy, że zarówno my, jak i nasza latorośl, możemy mieć gorszy dzień. Weźmy też pod uwagę, że do pewnego wieku dziecko nie wie, jakie uczucia nim targają. Nie rozpoznaje ich i nie umie nazwać.

Nauczmy dzieci wyrażać uczucia i myśli. Im wcześniej się tego nauczą, tym łatwiej zrozumieją, co się wokół nich dzieje, i zaczną samodzielnie rozwiązywać swoje problemy.

ZWYCZAJE

Wprowadzenie w naszym domu określonego rytmu dnia pozwala uniknąć bałaganu, a co ważniejsze, daje dziecku poczucie bezpieczeństwa oraz stabilizację i pewność, że otaczający je świat jest przewidywalny. Spróbujmy więc, uwzględniając nasze przyzwyczajenia i upodobania, zbudować plan dnia. Wyznaczmy czas na spacery, posiłki, zabawę, kąpiel i spanie. Niech staną się one fundamentami życia rodzinnego.

Oczywiście wraz z rozwojem naszego dziecka taki plan powinien podlegać modyfikacjom.

Postarajmy się, by w planie dnia nie zabrakło miejsca na obowiązki dziecka. Zacznijmy od najprostszych zadań, najlepiej takich, które możemy wykonywać wspólnie. Jak najdokładniej wytłumaczmy i pokażmy dziecku, co i jak ma zrobić. Stanowić to będzie dla niego wzorzec na przyszłość.

POCHWAŁA I NAGRODA

Nagroda jest optymalną i najbardziej skuteczną metodą wychowawczą. Najlepszymi nagrodami są: pochwała, uwaga i czas rodziców. Słodycze i drogie zabawki stanowią jedynie dodatki i nie są niezbędne.

Chwalmy i nagradzajmy nasze dzieci za to, jakie są. Skupiajmy się na ich zaletach, a nie szukajmy wad.

Zwróćmy uwagę, by nagradzanie nie zamieniło się w przekupstwo, ponieważ zawiera ono w sobie obietnicę nagrody materialnej. Przekupstwo nie uczy pozytywnych zachowań.
Zaskakujmy dziecko nagrodami.

NORMY I GRANICE

Nasze życie społeczne oparte jest na przestrzeganiu norm. Jako dorośli znamy te normy, a rolą rodziców jest przekazanie tej wiedzy dzieciom. To my uczymy, co jest dobre, a co złe. Ustanówmy więc zasady i powiedzmy precyzyjnie, czego oczekujemy.

Dzieci powinny znać granice swojego zachowania. Muszą wiedzieć i rozumieć, jakie zachowania są przez nas akceptowane, a jakie nie. Wszelkie zasady powinniśmy dostosowywać do wieku dziecka. Ważne jest jednak, byśmy sami przestrzegali ustanowionych reguł i zasad savoir vivre'u.

Nauczmy nasze dziecko, że dom jest miejscem, gdzie zawsze można wszystko powiedzieć i o wszystkim porozmawiać. Utwierdzajmy dziecko w przekonaniu, że jego problemy są dla nas ważne i zawsze może liczyć na nasze wsparcie. Budujmy wzajemne zaufanie.

ROZMOWA

Pamiętajmy, że bardzo ważna jest rozmowa z dziećmi. Tej sztuki trzeba się nauczyć. Trzeba też nauczyć jej dzieci.

Zwracajmy się do dzieci w sposób przyciągający ich uwagę. Jeżeli chcemy powiedzieć coś ważnego, usiądźmy lub przykucnijmy obok dziecka, aby nasze oczy znalazły się na jednym poziomie.

W rozmowach z dziećmi ważne i użyteczne są trzy rodzaje intonacji: ton autorytetu (zakazy), ton aprobaty (pochwały), ton rozsądku (argumenty).

Jedną z najważniejszych zasad rozmowy z dzieckiem jest umiejętne używanie intonacji. Nie krzyczmy na dziecko, a jedynie stosujmy ton autorytetu w chwilach, gdy źle się zachowuje. Ton, jakim mówimy, jest równie ważny jak przekazywana treść.

Pamiętajmy, że dziecko szybciej zrozumie polecenie, jeśli będziemy do niego mówić krótkimi zdaniami. Starajmy się nie nadużywać zakazów. Lepiej jest zaproponować dziecku nowe rozwiązanie, niż zabraniać.

Nie oceniajmy dziecka, a jedynie jego postępowanie. Nie przypisujmy mu złych intencji. Nigdy nie rańmy dziecka słowami, nie obrażajmy go i nie porównujmy z innymi.

ARGUMENTY I NEGOCJACJE

Małe dziecko nie wie, jak ma się zachowywać, dopóki mu tego nie wyjaśnimy. Powiedzmy mu to i pokażmy, tak by przekazywana informacja do niego dotarła.

Nie próbujmy zbyt zawiłych przemów – po prostu powiedzmy to, co najważniejsze. Jeśli dziecko coś robi źle, wytłumaczmy mu, że tego zabraniamy, i wyjaśnijmy dlaczego.

Gdy karzemy dziecko, jasno określmy za co. Zróbmy to w sposób dostosowany do jego wieku. Upewnijmy się, czy zrozumiało, dlaczego zostało ukarane.

KONSEKWENCJA

Jeżeli już ustanowiliśmy zasady funkcjonowania naszego domu i normy w nim obowiązujące, nie zmieniajmy ich w zależności od sytuacji. Nie stosujmy wyjątków w imię „świętego spokoju".

Jeśli musimy odejść od reguły, niech stanie się to naprawdę z ważnych powodów. Nie dopuśćmy do tego, aby opinie wyrażane przez innych zmieniały obowiązujące zasady.

Upewnijmy się, że wszyscy, w tym także inni opiekunowie i partner, również stosują się do zasad, rozumiejąc powody ich stosowania. Zasada jest zasadą.

OSTRZEŻENIA

Nikt nie lubi być zaskakiwany. Zawsze powinniśmy wcześniej zapowiedzieć dziecku, co za chwilę nastąpi. Uprzedźmy je, że niedługo nadejdzie czas kąpieli lub że zamierzamy podać obiad. Powinniśmy dać dziecku kilka minut na zakończenie jednego zajęcia przed rozpoczęciem innego. Dziecko również powinno mieć czas na wykonanie polecenia.

Inny rodzaj ostrzeżenia to ostrzeżenie w sytuacji, gdy dziecko nabroiło czy źle się zachowało. Zawsze najpierw musi usłyszeć od nas, że jego postępowanie łamie zasady.

Ostrzeżenie daje dziecku szansę na poprawę i możliwość uniknięcia kary. Jeśli jednak nieakceptowane zachowanie się powtarza, kara jest konieczna. Również w tym niezbędna jest konsekwencja.

KARY I DYSCYPLINA

Dyscyplina pozwala utrzymać dziecko w ryzach. Aby je zdyscyplinować, wystarczy czasem tylko użyć stanowczego tonu lub zastosować ostrzeżenie. Jeżeli to nie skutkuje, są inne metody, których możemy używać. Wyraźmy naszą dezaprobatę słownie lub zastosujmy wyciszenie.

Karą może być odebranie na jakiś czas ulubionej zabawki. W przypadku starszych dzieci skutkuje czasowe odebranie przywilejów.

Główne zasady dyscyplinowania dzieci to szybkość reakcji i konsekwencja.
Żadna z metod dyscyplinujących dziecko nie może zawierać elementu kary fizycznej.

OPANOWANIE

Zawsze starajmy się zachować spokój. Nie reagujmy na ataki histerii okazywaniem złości i nie odpowiadajmy krzykiem na krzyk.

To my jesteśmy dorośli – nie pozwólmy się dziecku zastraszyć i ponieść emocjom. Ono próbuje wymuszać na nas krzykiem swoją wolę. Nie ustępujmy.

Dobrze jest wspólnie z partnerem ustalić, jakie metody wychowawcze będziemy stosować w wychowaniu dziecka. Jeśli nie możemy dojść do kompromisu, powinniśmy odwołać się do autorytetu osoby trzeciej. Nigdy nie kłóćmy się przy dziecku

SAMODZIELNOŚĆ I PODEJMOWANIE DECYZJI

Przychodzi taki czas w rozwoju dziecka, gdy postanawia ono robić wszystko samo. To ważny element dojrzewania. Pozwólmy mu na to, pamiętając, by dostosować czynności wykonywane samodzielnie do jego wieku i możliwości.

Nie decydujmy we wszystkim za dziecko. Nauczmy je dokonywać własnych drobnych wyborów i podejmować decyzje. Wykorzystujmy jego inicjatywę.

ODPOWIEDZIALNOŚĆ ZA DZIECKO

Pierwsze kilka lat życia to bardzo ważny okres dla każdego człowieka. Rolą rodziców jest zapewnienie dziecku szczęśliwego dzieciństwa. Uda się to wtedy, kiedy będziemy podążać za potrzebami dziecka. Szanujmy jego osobowość i potrzeby. Pozwólmy mu dokonywać wyborów. Kształtujmy jego wysoką samoocenę i pozwalajmy zdobywać konieczne w życiu umiejętności. Upewnijmy się jednak, że nie mierzymy zbyt wysoko. Uważajmy, by nasze wygórowane ambicje nie przeszkodziły dziecku w prawidłowym rozwoju. Nie zmuszajmy go, by realizowało nasze niespełnione marzenia. Nie skazujmy tym samym naszych dzieci na porażki.

Wspólnie z dzieckiem szukajmy jego własnej drogi.

ZABAWA I RELAKS

Czas spędzany wspólnie jest ważny dla każdego członka rodziny. Starajmy się, aby był to czas istotnych rozmów, odpoczynku i świetnej zabawy. Pozwólmy dzieciom zrelaksować się w porze zasypiania, przy bajkach i pieszczotach.

Upewnijmy się, że w ciągu dnia każdy z domowników ma chwilę czasu wyłącznie dla siebie. Dbajmy o to, by w planie dnia znalazł się również wspólny czas. Organizujmy naszym dzieciom zabawę, ucząc jednocześnie, jak wspaniale mogą bawić się z rodzeństwem lub same. Zapewnijmy dziecku własne miejsce do zabawy, jego własne królestwo, za które będzie czuło się odpowiedzialne. Dawajmy dzieciom mądre zabawki i czytajmy wartościowe książki.

Pytania i odpowiedzi

Mam pięcioletnią córeczkę. Nie jest niejadkiem, ale chce jeść tylko frytki, smażonego kurczaka, bułkę z masłem czekoladowym. Jak nakłonić ją do spróbowania czegoś innego?

Dzieci często odmawiają spróbowania nowej potrawy tylko na podstawie jej wyglądu, zapachu czy nazwy. Każdy z nas ma przecież określone smaki i gusta. Zorganizuj zabawę (nie w trakcie posiłku) w próbowanie smaków i nazywanie ich. Poznasz w ten sposób ulubione smaki swojej córki.

Mimo odmowy od czasu do czasu zachęcaj ją do spróbowania czegoś, co jej wcześniej nie smakowało. Okaż jej zrozumienie i dawaj przykład. Jeśli podajesz na stół nową potrawę, to sama jej spróbuj, ale nie wmawiaj dziecku, że jest pyszna. Pamiętaj, że czasem taka potrawa musi pojawić się na stole kilka razy, nim dziecko jej spróbuje.

Posiłki dla córki powinny być kolorowe i apetycznie podane. Zawsze lepiej smakuje bułka „statek" niż zwykła kanapka. Mimo że składniki są takie same.

„ZAKAZANY OWOC"

Przygotuj jakiś kolorowy i smaczny posiłek. Postaw na stole i zapowiedz, że to jest dla wszystkich, ale nie dla dziecka. Możesz zasugerować, że na pewno nie będzie dziecku smakować. Czasem ta metoda świetnie działa na niejadki, bo zwycięża dziecięca przekora.

Moje dzieci nie chcą wieczorem kłaść się spać. Jak mam je przekonać, że pora do łóżka?

Dzieci na ogół nie chcą rozstawać się z rodzicami na noc. Próbują oddalić moment, gdy zostają same w łóżkach. Nie denerwuj się więc, gdy dzieci nie chcą kłaść się spać. Ustal z nimi stałą godzinę, o której powinny iść do kąpieli i ubrać się w piżamy. Przypomnij im o tym kilka minut wcześniej.

Pomyśl o wieczornym kładzeniu dzieci spać jak o specjalnej chwili, na którą się cieszysz. Jest to cudowny czas, w którym możecie pobyć razem i cieszyć się sobą. Zadbaj, by po położeniu się do łóżka znalazł się czas na rozmowę i bajkę.

CZAS DO ŁÓŻKA

Po kąpieli od razu zaprowadź dziecko do jego łóżka. Nie zapominaj o tym, by skorzystało z toalety i napiło się wody. Wspólnie wybierzcie bajkę i przytulankę do zasypiania. Przeczytaj lub opowiedz bajkę. W zależności od wieku dziecka, albo usiądź przy dziecku, albo wyjdź z pokoju. Jeśli dziecko nie pozwala ci wyjść, powiedz, że wrócisz za kilka minut. Niezbędny jest twój spokój i stanowczość. Nie wnoś swoich złych emocji do pokoju dziecka, na pewno nie pomoże mu to zasnąć.

Mój trzyletni synek nie chce spać w swoim łóżku. Wieczorem usypiamy go u nas, a potem odnosimy do jego pokoju. Niestety po jakichś dwóch godzinach mały już jest u nas z powrotem. Jak to zmienić?

Jeśli ustaliliście, że dziecko ma spać w swoim łóżku, to tam właśnie kładźcie go wieczorem do snu. Wyjaśnij dziecku, że każdy domownik ma swoje łóżko, w którym śpi. Unikaj zmieniania zasady, bo twoja konsekwencja zmniejszy szansę na to, że malec będzie próbował zmieniać normę.

Nie zapominaj o celu, jaki sobie postawiłaś: „Moje dziecko ma spać w swoim łóżku". Jeśli zachowasz spokój, na pewno bez problemu poradzisz sobie z protestami dziecka. Zmiana decyzji pod wpływem płaczu dziecka to sygnał dla niego, że zasadę można zmienić, jeśli tylko odpowiednio długo się marudzi lub płacze.

Jeśli dziecko spaceruje w nocy, za każdym razem odnoś je do jego łóżka. Rano pochwal, że przespało całą noc w swoim łóżeczku.

ZASADA DOBREGO ZASYPIANIA

Po kolacji i kąpieli powinien nastąpić czas wyciszenia. Porozmawiaj z dzieckiem o minionym dniu. To pomaga rozładować emocje i spokojnie przespać noc. Potem opowiedz lub przeczytaj bajkę. W trakcie czytania ściszaj głos i rób dłuższe przerwy między zdaniami. Wyciszanie powinno trwać około 20–30 minut. Po tym czasie powiedz dziecku „dobranoc" i siedź przy jego łóżeczku tak długo, aż uśnie. Nie rozmawiaj z nim i nie nawiązuj kontaktu wzrokowego. Nigdy nie kładź się do łóżka dziecka. Nie czytaj bajek, które mogą wzbudzić lęk. Jeśli wiesz, że dziecko boi się ciemności, koniecznie zostaw zapaloną lampkę.

Mój syn rzuca się w sklepie na podłogę i płacze, bo nie chcę mu czegoś kupić. Nie chcę kupować mu ciągle nowych zabawek, ale poddaję się jego histeriom. Co mam robić?

Nie reaguj na takie histeryczne zachowania. Jeśli dziecko robi scenę w sklepie, odsuń się od niego na dwa kroki i udawaj, że nic nie widzisz. Niezależnie od tego, jak długo trwa atak, wytrzymaj go. Poczekaj, aż malec się wyciszy. Gdy dziecko skończy płakać, wyjaśnij, że nigdy nie będziesz kupowała mu zabawek tylko dlatego, że krzyczy.

Pamiętaj, że jeśli raz ulegniesz łzom dziecka, nauczysz je sobą manipulować.

Staraj się nie przejmować uwagami gapiów. Pamiętaj, że najważniejsze jest twoje dziecko i jego wychowanie, a nie to, co ludzie powiedzą.

HISTERIA

Unikaj robienia zakupów, gdy dziecko jest zmęczone lub głodne.

Przed wyjściem z domu ustal zasady, według których będziecie robić zakupy.

Pozwól dziecku pomagać sobie.

Jeśli wpadnie w histerię, zignoruj ją, a gdy to nie pomoże, przerwij zakupy, wyjdź z dzieckiem ze sklepu i zastosuj wyciszenie.

Mój synek ma dwa latka, ja muszę po urlopie wrócić do pracy, a on nie chce chodzić do żłobka. Każdego ranka strasznie płacze i mówi, że boli go brzuszek. Źle sypia w nocy. Czy mimo to powinnam go prowadzić do żłobka?

Dziecku w tym wieku wydaje się, że jak znikniesz mu z oczu, to już na zawsze. To normalne zjawisko związane z jego rozwojem. Każde rozstanie jest więc dla dziecka wielkim problemem. Nie rozumie, że po kilku godzinach spędzonych w żłobku zabierzesz je do domu.

Małe dziecko nie ma jeszcze potrzeby kontaktu z rówieśnikami. W jego rozumieniu tylko ty jesteś w stanie zapewnić mu poczucie bezpieczeństwa.

Jeśli u twojego dziecka pojawił się ból brzuszka i lęki nocne, przede wszystkim sprawdź, czy synek po prostu nie boi się chodzić do żłobka. Jeśli objawy się nasilą, pomyśl o innej formie zapewnienia opieki dziecku.

CZAS DO ŻŁOBKA

Kłopoty z rozłąką są typowe dla małych dzieci. Postaraj się wcześniej przyzwyczaić dziecko do innych opiekunów.

Unikaj mówienia przy dziecku, jak trudne jest dla ciebie zostawianie go w żłobku. Słysząc to, dziecko zaczyna uważać, że dla niego też powinno to być trudne.

Staraj się, by pożegnanie w żłobku było czułe, ale krótkie.

Mam dwoje dzieci, dwumiesięcznego Piotrusia i trzyletniego Jasia. Jaś nie chce chodzić do przedszkola. Jak mogę go zachęcić?

Nie każde trzyletnie dziecko jest gotowe na pójście do przedszkola. Twój syn może dodatkowo uważać, że został wysłany do przedszkola „za karę", bo w domu pojawiło się nowe dziecko. Wytłumacz mu, że w przedszkolu pozna nowych kolegów i będzie mógł bawić się w grupie. Twój entuzjazm na pewno przekona dziecko.
Dostosowanie się do wymagań przedszkola jest dla wielu dzieci dużym wyzwaniem. Wysłuchaj jego argumentów i pomóż mu zrozumieć jego emocje. Porozmawiaj z wychowawcą, bo może rzeczywiście jest jakiś problem, którego dziecko nie potrafi nazwać, a który można łatwo rozwiązać.

CZAS DO PRZEDSZKOLA

Zanim zapiszesz dziecko do przedszkola, upewnij się, że jest na to gotowe.

Aby przyzwyczaić je do myśli, że nie zawsze będziesz przy nim, postaraj się, by w miarę możliwości każdego dnia spędzało trochę czasu bez ciebie.

Zanim po raz pierwszy dziecko pójdzie do przedszkola, odwiedź je razem z nim. Spędźcie tam trochę czasu, żeby dziecko mogło się pobawić i poznać nowe otoczenie.

Upewnij się, że dziecko jest wystarczająco samodzielne i potrafi poprosić o pomoc.

Traktuj wychowawców jak sprzymierzeńców.

Mój synek chodzi do przedszkola do najmłodszej grupy. Jest grzeczny i chętnie bawi się z innymi dziećmi. W domu w ogóle nie chce się sam bawić, co robić?

Trzyletnie dziecko nie rozumie, że możesz mieć inne obowiązki niż zabawa z nim. Wytłumacz, że przez chwilkę jesteś zajęta. Zachęć je do samodzielnej zabawy, stosując minutnik. Zorganizuj mu zabawę, wytłumacz zasadę, przećwicz to z nim, aby upewnić się, że rozumie.

Zachęcaj synka do samodzielnej zabawy, dając mu interaktywne zabawki, czyli takie, które wymagają jego zaangażowania. Zadbaj o to, by chłopiec miał swoje miejsce do zabawy. Postaraj się, aby było ono atrakcyjne i wygodne.

MINUTNIK

Pokaż dziecku, jak działa minutnik. Wytłumacz, że po nakręceniu i ustawieniu odpowiedniego czasu dzwoni. Ustaw minutnik na kilka minut, możesz zacząć od 3 lub 5 zależnie od wieku dziecka. Powiedz, że przyjdziesz pobawić się z dzieckiem, jak budzik zadzwoni. Stosuj tę zasadę kilka razy dziennie. Zawsze pochwal dziecko, jeśli przestrzega zasady. Nie zapominaj jednak o wspólnej zabawie.

Mam dwoje dzieci: sześcioletniego chłopca i czteroletnią dziewczynkę. Nie wiem, czym kierować się w sklepie z zabawkami. Jakie zabawki kupować?

Przy wyborze zabawki kieruj się możliwościami swoich dzieci i tym, co chcesz stymulować za jej pomocą. Zabawa i zabawka wpływają na kształtowanie się charakteru dziecka. Rozwijają spostrzeganie, myślenie, emocje i wiedzę o świecie.

Przede wszystkim zwracaj uwagę na to, czy zabawki są bezpieczne i mają certyfikat jakości.

DOBRA ZABAWKA

Dobrą zabawką jest taka, która umożliwia dziecku działanie. Natomiast zabawka, która wyręcza dziecko w działaniu, jest niekorzystna dla jego rozwoju.

Dzieci będą się bawić zabawkami w taki sposób, w jaki je tego nauczymy.

Dobra zabawka powinna być ciekawa, pasująca do wieku i etapu rozwoju dziecka. Powinna wytwarzać w dziecku dobre emocje i postawy. Ważne jest, by była bezpieczna i starannie wykonana.

Kasia ma cztery i pół roku i tzw. butelkową próchnicę. Dentystka kazała myć jej zęby, a Kasia nie chce. Może nie smakuje jej pasta?

Jeśli twoje dziecko odmawia mycia zębów, nie usprawiedliwiaj go niesmaczną pastą lub brzydkim kolorem szczoteczki. Twoja córka po prostu chce kontrolować swój świat i postawić na swoim, kiedy tylko może. Oczywiście pozwól wybrać jej pastę, szczoteczkę i postaraj się przekonać ją, że mycie zębów może być fajną zabawą.

Gdy tylko to możliwe, myj zęby razem z dzieckiem, by widziało, jak dobrze to zrobić, i by chciało cię naśladować.

MYCIE ZĘBÓW

Pamiętaj, że dentyści proponują, aby do szóstego roku życia to rodzice myli zęby dzieciom. Nigdy jednak nie róbcie tego na siłę.

Ucz dziecko prawidłowego szczotkowania zębów, zamieniając to w zabawę.

Wspólnie wybierzcie szczoteczkę przeznaczoną dla dzieci i specjalną smakową pastę.

Myj zęby w obecności dziecka.

W razie potrzeby kupcie w aptece specjalne czerwone pastylki, które po rozgryzieniu pokazują, które miejsca na zębach są jeszcze źle umyte.

Mam dwoje dzieci i zawsze kąpią się razem. Młodsza córeczka zawsze chętnie kończy kąpiel, ale starszy synek długo nie chce wyjść z wanny. Boję się, że się zaziębi, bo siedzi w zimnej wodzie. Poproszę o radę.

Kąpiel na ogół jest relaksem, przyjemnością i dobrą zabawą. Pamiętaj jednak o tym, że w takiej sytuacji dziecko nie będzie chciało wyjść z wanny. W związku z tym ustal limit czasowy i używaj minutnika. Ważne jest również, aby pluskanie się nie trwało zbyt krótko. Dziecko powinno mieć czas na to, by się pobawić.

Aby wyjść z wanny, twoje dzieci potrzebują ciepła i poczucia bezpieczeństwa. Przygotuj więc kolorowe ręczniki i ciepły szlafrok.

W WANNIE

Nigdy nie zostawiaj dziecka samego w wannie, nawet na chwilę.

Postaraj się, by kąpiel była przyjemnością. Jeśli dziecko lubi, dodaj płynu do kąpieli i przynieś ulubione zabawki.

Na początku kąpieli ustaw minutnik, a gdy zadzwoni, przypomnij dziecku, że najwyższy czas wyjść z wanny. Jeśli to nie zadziała, wyjmij korek, a potem dziecko.

Mój syn ma dwa lata i osiem miesięcy. Od kiedy skończył dwa lata, próbujemy nauczyć go korzystać z nocnika. Niestety nic z tego. Kategorycznie odmawia, a nawet jeśli usiądzie, to nic nie zrobi. Proszę o jakąś radę.

Dwulatek zazwyczaj chętnie naśladuje dorosłych, a jeśli jeszcze podkreślisz, że duże dzieci robią siusiu do nocnika, to sukces jest blisko. Smyk łatwiej się nauczy załatwiać swoje potrzeby, jeśli zobaczy, że i jego rodzice robią to każdego dnia. Jeśli możesz, zabieraj więc malca ze sobą do ubikacji. Wytłumacz, że gdy chce się zrobić siusiu, trzeba zdjąć majtki, a potem usiąść na sedesie lub nocniku.
Lekcję pokazową zakończ myciem rąk.

TRENING CZYSTOŚCI

Nie zmuszaj malucha do korzystania z nocnika. Jeśli protestuje przy każdej próbie wysadzenia, zostań przy pieluchach. Ponów próbę za tydzień lub dwa.

Nie krzycz i nie krytykuj go za zmoczenie majtek. Nie rób też dziecku wymówek, gdy zachce mu się siusiu w sklepie czy tramwaju. Nie ograniczaj picia. To wcale nie nauczy go kontrolować siusiania, a dziecko powinno dostawać tyle napojów, ile chce.

Bartek ma trzy i pół roku i ciągle chce, by go nosić na rękach. Nie chce jeździć w wózku na spacerze, a w domu płacze i chce, żeby go nosić, a ja nie mam już siły.

Dzieci uwielbiają być noszone na rękach. Czują się wtedy kochane i ważne, a poza tym, jakże ciekawie wygląda świat z takiej perspektywy.
Noś swoje dziecko i przytulaj możliwie często, ale jeśli nie masz siły lub nie ma takiej potrzeby, powiedz mu o tym. Wyjaśnij, że jest duże, ciężkie, a ty – zmęczona.
Jeśli potrzebuje kontaktu z tobą, usiądź i przytul dziecko. Jednak kategorycznie odmawiaj noszenia na rękach cały czas. Na spacerze zaproponuj inne rozwiązanie, na przykład trzymanie się za ręce.

CHCĘ NA RĘCE

Ustal z dzieckiem zasadę, jak długo możesz je nieść na rękach na spacerze. Chwal je za każdym razem, kiedy idzie samodzielnie.

Nie zapominaj, że dziecko ma krótsze nóżki, a więc nie potrafi chodzić tak szybko jak ty.

Na spacer zabieraj wózek, ale raczej zachęcaj dziecko do chodzenia. Nie woź dziecka w wózku, jeżeli nie ma takiej konieczności.

Staraj się przyzwyczajać dziecko do coraz dłuższych spacerów.

Moje dziecko nie chce mnie trzymać za rękę. Zawsze mi ucieka. Jak mam robić zakupy, skoro muszę cały czas go pilnować?

Małe dzieci na ogół nie lubią trzymać rodziców za rękę, bo wolą biegać i poznawać świat wedle własnego uznania. Doceń ciekawość swego dziecka, ale nigdy nie ustępuj w sprawie zasad bezpieczeństwa.

Jeśli jest taka konieczność, a dziecko małe, po prostu zostaw je w wózku na czas zakupów. Starszemu wytłumacz, dlaczego musi iść za rękę.

Pamiętaj, że dziecku nie zawsze podoba się to, co mówisz i co robisz, ale skoncentruj się na zapewnieniu mu bezpieczeństwa, a nie na sprawieniu przyjemności.

Nigdy nie dawaj prezentów za wykonanie polecenia. Chodzi o to, by dziecko rozumiało zasadę, a nie oczekiwało nagrody za dobre zachowanie.

ZASADA BEZPIECZEŃSTWA

Wytłumacz dziecku, dlaczego ważne jest, aby w sklepie lub na ulicy było blisko ciebie. Ustal zasadę, w myśl której dziecko trzyma cię za rękę, gdy jest taka konieczność, a idzie samo wtedy, gdy jest na to czas i miejsce. Upewnij się, że dziecko rozumie, o co chodzi.

Nie groź klapsem, ale ustal, że jeśli nie będzie przestrzegało ustalonej reguły, to będziesz go trzymać za rękę, a następnym razem zostanie w domu.

Na spacerze w parku przećwicz razem z dzieckiem zatrzymywanie się na sygnał. Chwal za każdym razem, gdy dziecko stosuje się do poleceń.

Jestem w ósmym miesiącu ciąży i szykujemy z mężem miejsce dla maleństwa w pokoju starszej córki. Ale ona mówi, że nie chce żadnego bobasa w swoim pokoju. Jak mam postąpić?

Twoja córka czuje się zagrożona, bo ktoś, kogo nie zna, zajmie część jej pokoju. To normalne zachowanie i powinnaś jej pomóc poradzić sobie ze zmianą. Twoja córka mówi, że nie chce „bobasa w swoim pokoju", bo nie wie, co ją czeka. Opowiedz jej o zaletach bycia starszą siostrą. Poproś córkę o pomoc w przygotowaniu miejsca dla rodzeństwa. Jeśli to możliwe, zaangażuj ją w wybór mebelków i dekoracji. Pamiętaj, by jej także dostało się coś nowego i atrakcyjnego. Wykorzystuj pomysły starszej córki, pokaż, że są dla ciebie ważne.

RODZEŃSTWO

Przygotowuj swoje dziecko na pojawienie się rodzeństwa tak wcześnie, jak to tylko możliwe. Opowiadaj o dobrych, ale i o trudnych stronach życia w powiększonej rodzinie.

Mów o nowym dziecku w taki sposób, by starsze patrzyło na nie jak na przyjaciela, a nie wroga.

Pamiętaj, że starsze też jest tylko małym dzieckiem i ma określone potrzeby, które musisz zaspokoić.

Mam dwie córeczki: cztero- i sześcioletnią. Nie potrafią się ze
sobą bawić i nie umieją się dzielić zabawkami. Ciągle się kłócą
i często biją. Staram się na nie nie krzyczeć, ale nie wiem już,
co robić.

Niektóre dzieci rozumieją ideę wspólnej zabawy i dzielenia się zabawkami wcześniej, a inne później. Jest to umiejętność, którą trzeba ćwiczyć.
Pokazuj dziewczynkom przykłady dzielenia się, by zrozumiały, na czym
ono polega.

Dzieci w wieku przedszkolnym z natury są egoistami i ich niechęć do
dzielenia się jest rzeczą naturalną.

Baw się z dziewczynkami i chwal je, gdy się ładnie bawią i dzielą zabawkami. Twoja obecność pomoże im zażegnać wszelkie spory.

Możesz użyć minutnika, dzieląc między dziewczynki czas zabawy daną
zabawką.

DZIELENIE SIĘ

Ustal reguły dotyczące dzielenia się i często o nich przypominaj.

Naucz dziecko myśleć o uczuciach innych w taki sposób, w jaki myśli
o swoich własnych.

Nie denerwuj się, gdy dziecko nie umie się bawić z rówieśnikami, naucz
je tego. Skupienie się na tym, czego chcesz go nauczyć, jest bardziej
efektywne niż myślenie o jego złym zachowaniu.

Jestem mamą czteroletnich bliźniaczek. Podobno nie powinnam ich ubierać tak samo i kupować identycznych zabawek? Poza tym wszystko robią razem. Czy to zmieniać?

Wychowanie bliźniąt jest szczególnie trudne. Bliźnięta powinnaś traktować tak samo jak każde inne rodzeństwo. Nie ubieraj ich identycznie, jeśli tego nie chcą. Nie oczekuj, że mają takie same zainteresowania i temperamenty, więc kupuj im różne zabawki.

To, że obie dziewczynki robią wiele rzeczy w jednym czasie, nie jest niepokojące. Bliźniaczki są dla siebie często najlepszymi towarzyszkami zabaw. Bardziej niż inne rodzeństwo tęsknią za swoją bliskością i obecnością,

Może tak być zawsze lub bardzo długo i nie należy z tym walczyć ani tego zmieniać.

BLIŹNIĘTA

Każde dziecko, również bliźnięta, chce czuć się jak odrębna istota. Bliźnięta mogą, ale nie muszą chcieć tego samego. Traktujmy naszą dwójkę dzieci w jednym wieku i o bardzo zbliżonym wyglądzie jako odrębne indywidualności, z często odmiennym rytmem rozwoju, odrębnymi uzdolnieniami i cechami charakteru.

Nie zwracajmy się do nich per „bliźnięta", ale używajmy ich imion.

Na urodziny wysyłajmy im dwie kartki, każdemu osobną.

Mój pięcioletni synek często choruje na anginę. Ale nie wiem, co mam robić, bo on nie chce wziąć lekarstw; ani połknąć tabletki, ani wypić syropu. Lekarz powiedział, że skończy się na zastrzykach albo szpitalu. Jak mam mu podać leki?

„Lekarstwo ma być skuteczne, a nie smaczne" – sama wiesz, że może źle smakować, brzydko pachnieć lub wyglądać. Nigdy nie kłam, że jest smaczne. Wytłumacz dziecku, czemu musi je wziąć, i pomóż mu, zmniejszając jego stres i lęk.

Nigdy nie podawaj lekarstwa na siłę. Jeśli twoje dziecko ma kłopoty z przełykaniem albo boisz się, czy sobie poradzi, zmieszaj lekarstwo z jedzeniem (jeśli to możliwe) lub piciem.

Pomiędzy porcjami leku możesz podać dziecku słodki napój lub cukierka.

LEKARSTWA

Dowiedz się w aptece, czy lekarstwo, które musisz podać dziecku, jest dostępne w postaci syropu i czy ma różne smaki.

Podając lekarstwo, pamiętaj, by odbyło się to w spokoju i z dużą ilością czułości. Nigdy nie wmuszaj w dziecko leków. Zawsze podkreślaj związek między lekarstwem a zdrowiem.

Pamiętaj, że musisz nauczyć swoje dziecko znosić niedogodności, jakich nie szczędzi nam życie.

Wszystkie domowe lekarstwa trzymaj poza zasięgiem rąk dziecka.

Mój synek ma prawie cztery latka. Kiedy próbuję usadzić go w samochodowym foteliku i zapiąć pasy, krzyczy i wyrywa się. Czasem więc mu ustępuję, ale nie wiem, czy dobrze robię. Nie mam już siły, proszę o pomoc.

Przed każdą podróżą wyjaśnij synkowi zasady bezpiecznego podróżowania w samochodzie. Powiedz mu, że są zasady, które nie podlegają negocjacjom i jedną z nich jest właśnie jazda w foteliku z zapiętymi pasami.

Poproś dziecko, aby podało ci powody, dla których nie lubi jazdy w foteliku. Znając je, będziesz mogła im zaradzić.

Nigdy nie ustępuj, ponieważ od tego zależy zdrowie lub życie twojego dziecka.

W SAMOCHODZIE

Wprowadź reguły dotyczące jazdy samochodem.

Zawsze pamiętaj o zapięciu swoich pasów, by dziecko mogło naśladować twoje zachowanie.

Uczyń dziecko odpowiedzialnym za przypomnienie wszystkim podróżującym o zapięciu pasów, niech to będzie jego zadanie.

Woź w samochodzie zabawki, by dziecko się nie nudziło.

Moja dwuipółroczna córeczka nie sprawia zbyt wielu problemów. Niestety z jedną sprawą nie potrafimy sobie dać rady. Nasze dziecko, gdy jest z czegoś niezadowolone, bije i gryzie. Zachowuje się tak wobec dzieci, a także w stosunku do nas oraz innych dorosłych. Co mamy robić?

Gdy wasza córka gryzie czy bije, reagujcie natychmiast i stanowczo. Przede wszystkim musi dostać jasny komunikat, że to, co robi, jest złe. Jeśli nie przestanie, wówczas trzeba przerwać całą sytuację i na jakiś czas odseparować dzieci od siebie. Dobrze jest, jeśli dziecko nieco się wyciszy i uspokoi emocje.

Powiedzcie córce, dlaczego zabawa została przerwana, i wyjaśnijcie, że zawsze będziecie tak reagować na złe zachowanie.

BICIE I GRYZIENIE

Małe dzieci mają ograniczone możliwości wyrażania emocji, w tym również dezaprobaty czy złości. Mogą również gryźć i bić, aby zwrócić naszą uwagę.

Najważniejsze jest natychmiastowe przerwanie sytuacji i wyraźne okazanie dezaprobaty.

Dziecko **musi** wiedzieć, że **nigdy** nie zaakceptujemy takiego zachowania.

Moje półtoraroczne dziecko ciągle mówi: „nie" i „nie chcę". Nie mam już siły z nim walczyć.

Pierwsze „nie" pojawia się na ogół u dziecka właśnie około osiemnastego miesiąca życia. Ma ono dla niego wielką siłę i łatwo je wypowiada. Mówiąc „nie", dziecko zawsze próbuje zaznaczyć swoją indywidualność i potrzebę samodzielności.

Zastanów się, czy ty sama nie nadużywasz słowa „nie". Jeśli tak, zachowaj je wyłącznie dla najważniejszych zakazów.

Zamiast mówić: „nie rób tego", powiedz: „zrób tak".

Przede wszystkim uzbrój się w cierpliwość. Nie zmuszaj dziecka do zrobienia czegoś tylko po to, by udowodnić mu, „kto tu rządzi".

„NIE"

Dziecko, mówiąc „nie", pragnie wyrazić swoją niezależność i być tak samo ważnym domownikiem jak inni.

Dziecięce „nie" nie zawsze wyraża odmowę. Czasem jest to tylko podkreślenie własnego istnienia, a czasem sposób na postawienie własnych warunków.

Mój sześcioletni syn bardzo lubi oglądać telewizję. Mógłby spędzać przed ekranem cały czas. Nie chce wyłączyć telewizora. Jak ja wyłączam, to jest straszna awantura. Proszę o radę.

Telewizja stała się dla rodziców bardzo atrakcyjnym sposobem na zapewnienie dziecku rozrywki. Ale pamiętaj, że gdy włączamy telewizor, wyłączamy dziecko. Maluch bardzo szybko przyzwyczaja się do takiego spędzania czasu. Zastanów się też, ile godzin sama spędzasz przed odbiornikiem, i postaraj się to ograniczyć.

Koniecznie ustal, ile czasu dziennie twoje dziecko może spędzić przed ekranem. Zapoznaj się z ofertą programów dla dzieci i wspólnie wybierzcie te najbardziej interesujące. Postaraj się oglądać je razem z dzieckiem i rozmawiać o nich.

TELEWIZJA DLA DZIECKA

Ustal z dzieckiem, jakie programy w ciągu tygodnia chce oglądać. Wybierzcie je wspólnie z oferty telewizyjnej. Włączaj odbiornik dokładnie na program i wyłączaj bezpośrednio po nim. Nie dopuszczaj, by w domu telewizor grał bez przerwy. Znajdź i zapewnij dziecku inne formy rozrywki. Pamiętaj, że oglądanie programów nieprzeznaczonych dla dzieci źle wpływa na rozwój emocjonalny twojego dziecka.

Dziecko może spędzać przed telewizorem do godziny lub dwóch dziennie (w zależności od wieku).

złe bajki

tęcza

Na zakończenie

Dziękuję, że przeczytaliście tę książkę. Być może doszliście do wniosku, że to niemożliwe, aby w tak prosty sposób można było osiągnąć znaczące efekty wychowawcze. To prawda. Metody, które tu opisałam, są dość oczywiste i wydają się łatwe, ale nie dajcie się zwieść pozorom. Można być mistrzem technik malarskich i nie sprzedać żadnego obrazu.

Co więc jest prawdziwym kluczem do sukcesu, który bardzo umownie nazwaliśmy wychowaniem superdziecka?

Łatwo jest zostać rodzicem, ale być rodzicem to zupełnie co innego. Pamiętajmy, że nie jesteśmy rodzicami po to, by zadowolić naszą partnerkę czy partnera, rodzinę i znajomych. Jesteśmy rodzicami dla dziecka. Zapewnienie mu – w miarę naszych możliwości – najlepszych warunków rozwoju należy do naszych obowiązków.

Pośród wielu innych rodzicielskich obowiązków jeden jest jednak fundamentalny: Kochajmy nasze dziecko, okazujmy mu miłość i szacunek.

Czasem może się wydawać, że odpowiedzialność, jaka spoczywa na naszych barkach, przerasta nasze możliwości. Kiedy ogarniają nas wątpliwości, czy wysiłek, jaki wkładamy w wychowanie dzieci, doprowadzi do wymarzonego celu, warto pamiętać o kilku rzeczach.

W dzisiejszych trudnych czasach stworzenie ciepłego domu rodzinnego wymaga od nas wysiłku o wiele większego niż dawniej. Wielopokoleniowe domy odchodzą w niepamięć, babcie i dziadkowie są tak samo zapracowani jak my. Mamy coraz mniej czasu dla swoich bliskich. Bywa, że zdani na siebie dopuszczamy do głosu negatywne emocje, zapominając o tym, że rodzicielstwo to najpiękniejszy dar, jaki mogliśmy otrzymać. Nie możemy się jednak poddawać, ponieważ nasze dziecko potrzebuje silnych, mądrych i kochających rodziców.

W tej książce starałam się przekazać swoją wiedzę i doświadczenie najlepiej, jak umiałam, ale żadne mądre i sprawdzone rady, techniki, zalecenia ani magiczne sposoby nie poskutkują, jeśli nie będziemy kochać naszych dzieci mądrze i najmocniej na świecie.

Postarajmy się nie doprowadzić do sytuacji, w której to psycholog powie nam, jakie są marzenia, kłopoty czy radości naszego dziecka. Rozmawiajmy ze sobą jak najczęściej. Mówmy o sprawach ważnych dla nas i dla dziecka. Takie spotkania przy kuchennym stole zapadają w pamięć i budują więzi z bliskimi o wiele skuteczniej niż wizyty u najlepszego specjalisty. Czytając tę książkę, nie zapominajcie o tym.

Zanim wprowadzicie w życie którąkolwiek z moich rad, wsłuchajcie się głęboko w siebie i myślcie o szczęściu dziecka, a wtedy będzie Wam łatwiej rozwiązać problem. Każda rodzina jest inna, każdy z jej członków niepowtarzalny i jedyny w swoim rodzaju.

Tak naprawdę to Wy wiecie najlepiej, jak poradzić sobie ze swoim rozbrykanym, a czasem nawet niegrzecznym dzieckiem.

W tej książce i w programie telewizyjnym *Superniania* chcę pomóc Wam przypomnieć sobie, jak być wspaniałym rodzicem superdziecka.

Na zakończenie najważniejsze rady:

- Kochaj swoje dziecko bezwarunkowo.
- Szanuj osobowość dziecka.
- Nie dawaj klapsów.
- Nie krzycz.
- Wyznaczaj precyzyjne reguły i przestrzegaj ich.
- Zasady i metody wychowawcze ustalaj wspólnie z partnerem.
- Domowe obowiązki sprawiedliwie rozdzielaj między siebie i dzieci.
- Szanuj zdanie dziecka.
- Nagradzaj tak często, jak to jest możliwe.

I pamiętajcie o najważniejszym: miłość i wzajemny szacunek to podstawowe składniki receptury na udaną i szczęśliwą rodzinę.

Pozdrawiam Was serdecznie i ciepło!

Dorota Zawadzka

Superniania